रात पश्मी

कि लिखा

रात पश्मीने की

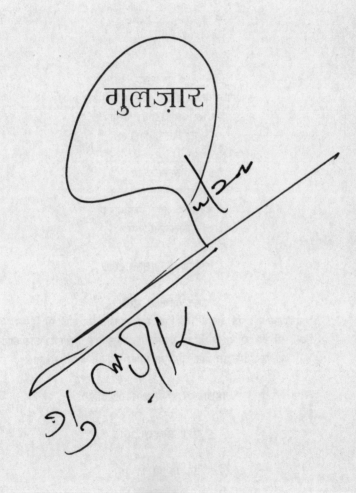

गुलज़ार

रूपा

प्रकाशक

रूपा पब्लिकेशंस इंडिया प्राइवेट लिमिटेड 2002

7/16, अंसारी रोड, दरियागंज

नई दिल्ली 110002

सेल्स सेन्टर:

इलाहाबाद बेंगलुरू चेन्नई

हैदराबाद जयपुर काठमाण्डू

कोलकाता मुम्बई

ISBN: 978-81-291-0224-9

दसवां संस्करण 2015

14 13 12 11 10

मुद्रक

रेखा प्रिन्टर्स प्रा. लि. नई दिल्ली

जिस तरह तन झुलसती गर्मी में
ठंडे दरिया में डुबकियाँ ले कर
दिल को राहत नसीब होती है,
ऐसा ही इत्मीनान होता है
तेरी अच्छी सी नज़्म को पढ़ कर!
लगता है ज़िन्दगी के दरिया में
एक तारी लगा के निकले हैं
रूह कैसी निहाल होती है!

— बाबा[1] आप के लिये...

1. जनाब अहमद नदीम कासमी

आज तेरी इक नज़्म पढ़ी थी,
पढ़ते-पढ़ते लफ़्ज़ों के कुछ रंग लबों पर छूट गये
आहंग ज़बाँ पे घुलती रही--
इक लुत्फ़ का रेला, सोच में कितनी देर तलक लहराता रहा,
देर तलक आँखें रस से लबरेज़ रहीं-
सारा दिन पेशानी पर,
अफ़शाँ के ज़र्रे झिलमिल-झिलमिल करते रहे!!
                    -- मनू[1] तुम्हारे लिये...

1. मंसूरा अहमद

vi

नज़्म-फ़ेहरिस्त

मेरा ख़्याल है...

मेरा ख़्याल है, नया मजमूआ लोगों के सामने पेश करने से पहले हर शायर को एक बार तो यह घबराहट ज़रूर होती होगी – पता नहीं, अब लोग क्या कहेंगे। इक्का दुक्का नज़्में लिखते रहने, और छप जाने से अपने पूरे काम का अन्दाज़ा नहीं हो पाता। जब धान की ढेरी लगती है तो पता चलता है कि पिछले साल में कितना मेंह बरसा, कितनी धूप खिली।

बहुत से मौज़ू पिछले मजमूऐ से अलग हैं। कहीं नज़्मों को पकने में देर लगी, कहीं मैं देर से पका। कहने का हौसला कम था। हर बार बाबा ने थपकी दी और हौसला अफ़ज़ाई की। मनू ने हाथ पकड़ा और आगे बढ़ा दिया। यह मजमूआ भी उसकी बदौलत तैयार हुआ है।

मजमूऐ में एक बार फिर 'त्रिवेणी' शामिल है। त्रिवेणी ना तो मुसल्लस है, ना हाइकू, ना तीन मिसरों में कही एक नज़्म। इन तीनों

'फ़ार्म्ज़' में एक ख़्याल और एक इमेज का तसलसुल मिलता है। लेकिन त्रिवेणी का फ़र्क़ इसके मिज़ाज का फ़र्क है। तीसरा मिसरा पहले दो मिसरों के मफ़हूम को कभी निखार देता है, कभी इज़ाफ़ा करता है या उन पर 'कॅमेंट' करता है। त्रिवेणी नाम इस लिए दिया था कि संगम पर तीन नदियां मिलती हैं। गंगा, जमना और सरस्वती। गंगा और जमना के धारे सतह पर नज़र आते हैं लेकिन सरस्वती जो तक्षिला के रास्ते से बह कर आती थी, वह ज़मीन दोज़ हो चुकी है। त्रिवेणी के तीसरे मिसरे का काम सरस्वती दिखाना है जो पहले दो मिसरों में छुपी हुई है।

उम्मीद भी है, घबराहट भी कि अब लोग क्या कहेंगे, और इससे बड़ा डर यह है कहीं ऐसा ना हो कि लोग कुछ भी ना कहें!!

गुलज़ार

बोस्की ब्याहने का अब वक़्त क़रीब आने लगा है
जिस्म से छूट रहा है कुछ कुछ
रूह में डूब रहा है कुछ कुछ
कुछ उदासी है, सुकूँ भी
सुबह का वक़्त है पौ फटने का,
या झुटपटा शाम का है मालूम नहीं
यूं भी लगता है कि जो मोड़ भी अब आएगा
वो किसी और तरफ़ मुड़ के चली जाएगी,
उगते हुए सूरज की तरफ़
और मैं सीधा ही कुछ दूर अकेला जा कर
शाम के दूसरे सूरज में समा जाऊंगा!

बोस्की-1

नाराज़ है मुझ से बोस्की शायद
जिस्म का इक अंग चुप चुप सा है
सूजे से लगते है पांव
सोच में एक भंवर की आंख है
घूम घूम कर देख रही है

बोस्की, सूरज का टुकड़ा है
मेरे ख़ून में रात और दिन घुलता रहता है
वह क्या जाने, जब वो रूठे
मेरी रगों में ख़ून की गर्दिश मद्धम पड़ने लगती है

बोस्की—2

2

बस चन्द करोड़ों सालों में
सूरज की आग बुझेगी जब
और राख उड़ेगी सूरज से
जब कोई चाँद न डूबेगा
और कोई ज़मीं न उभरेगी
तब ठंडा बुझा इक कोयला सा
टुकड़ा ये ज़मीं का घूमेगा
भटका भटका
मद्धम ख़ाकिसत्री रोशनी में!

मैं सोचता हूँ उस वक़्त अगर
काग़ज़ पे लिखी इक नज़्म कहीं उड़ते उड़ते
सूरज में गिरे
तो सूरज फिर से जलने लगे!!

काएनात–1

3

अपने "सन्तूरी" सितारे से अगर बात करूं
तह-ब-तह छील के आफ़ाक़ की पर्तें
कैसे पहुंचेगी मेरी बात ये अफ़्लाक के उस पार भला?
कम से कम "नूर की रफ़्तार" से भी जाए अगर
एक सौ सदियां तो ख़ामोश ख़लाओं से
गुज़रने में लगेंगी
कोई माद्दा है मेरी बात में तो
"नून" के नुक़्ते सी रह जाएगी "ब्लैक होल" गुज़र के
क्या वो समझेगा?
मै समझाऊंगा क्या?

काएनात–2

"सन्तूरी" Centuar

बहुत बौना है ये सूरज......!
हमारी कहकशाँ की इस नवाही सी 'गैलेक्सी' में
बहुत बौना सा ये सूरज जो रौशन है....
ये मेरी कुल हदों तक रौशनी पहुंचा नहीं पाता
मैं मार्ज़ और जुपीटर से जब गुज़रता हूँ
भंवर से, ब्लैक होलों के
मुझे मिलते हैं रस्ते में
सियह गिरदाब चकराते ही रहते हैं
मसल के जुस्तजु के नंगे सहराओं में वापस
                              फेंक देते हैं

ज़मीं से इस तरह बांधा गया हूँ मैं
गले से ग्रैविटी का दाएमी पट्टा नहीं खुलता!

काएनात-3

5

रात में जब भी मेरी आंख खुले

नंगे पांव ही निकल जाता हूँ

आसमानों से गुज़र जाता हूँ

कहकशाँ छू के निकलती है जो इक पगडन्डी

अपने पिछवाड़े के ''सन्तूरी'' सितारे की तरफ़

दूधिया तारों पे पांव रखता

चलता रहता हूँ यही सोच के मैं

कोई सय्यारा अगर जागता मिल जाए कहीं

इक पड़ोसी की तरह पास बुला ले शायद

और कहे

आज की रात यहीं रह जाओ

तुम ज़मीं पर हो अकेले

मैं यहां तन्हा हूँ

काएनात—4

6

बुरा लगा तो होगा ऐ ख़ुदा तुझे,
दुआ में जब,
जम्हाई ले रहा था मैं--
दुआ के इस अमल से थक गया हूँ मैं!
मैं जब से देख सुन रहा हूँ,
तब से याद है मुझे,
ख़ुदा जला बुझा रहा है रात दिन,
ख़ुदा के हाथ में है सब बुरा भला--
दुआ करो!
अजीब सा अमल है ये
ये एक फ़र्ज़ी गुफ़्तगू,
और एकतर्फ़ा-- एक ऐसे शख़्स से,
ख़्याल जिसकी शक्ल है
ख़्याल ही सबूत है।

ख़ुदा—1

मैं दीवार की इस जानिब हूँ!
इस जानिब तो धूप भी है, हरियाली भी!
ओस भी गिरती है पत्तों पर,
आ जाये तो आलसी कोहरा,
शाख़ पे बैठा घंटों ऊँघता रहता है।
बारिश लम्बी तारों पर नटनी की तरह थिरकती,
                        आँख से गुम हो जाती है,
जो मौसम आता है, सारे रस देता है!

लेकिन इस कच्ची दीवार की दूसरी जानिब,
क्यों ऐसा सन्नाटा है
कौन है जो आवाज़ नहीं करता लेकिन——
दीवार से टेक लगाये बैठा रहता है।

ख़ुदा-2

8

पिछली बार मिला था जब मैं
एक भयानक जंग में कुछ मसरूफ़ थे तुम
नए नए हथियारों की रौनक़ से काफ़ी खुश लगते थे
इससे पहले अन्तुला में
भूख से मरते बच्चों की लाशें दफ़नाते देखा था
और इक बार... एक और मुल्क में ज़लज़ला देखा
कुछ शहरों के शहर गिरा के दूसरी जानिब
लौट रहे थे

तुम को फ़लक से आते भी देखा था मैंने
आस पास के सय्यारों पर धूल उड़ाते
कूद फलांग के दूसरी दुनियाओं की गर्दिश
तोड़ ताड़ के गैलेक्सीज़ के महवर तुम
जब भी ज़मीं पर आते हो
भोंचाल चलाते और समन्दर खौलाते हो
बड़े 'इरैटिक' से लगते हो
काएनात में कैसे लोगों की सोहबत में रहते हो तुम

खुदा—3

पूरे का पूरा आकाश घुमा कर बाज़ी देखी मैंने--

काले घर में सूरज रख के,
तुमने शायद सोचा था, मेरे सब मोहरे पिट जायेंगे,
मैंने एक चिराग़ जला कर,
अपना रस्ता खोल लिया

तुमने एक समन्दर हाथ में लेकर, मुझ पर ढ़ेल दिया
मैंने नूह की कश्ती उसके ऊपर रख दी
काल चला तुमने, और मेरी जानिब देखा
मैंने काल को तोड़ के लम्हा लम्हा जीना सीख लिया

मेरी खुदी को तुम ने चन्द चमत्कारों से मारना चाहा
मेरे इक प्यादे ने तेरा चाँद का मोहरा मार लिया--

मौत की शह देकर तुमने समझा था अब तो मात हुई
मैंने जिस्म का ख़ोल उतार के सौंप दिया--और
रूह बचा ली

पूरे का पूरा आकाश घुमा कर अब तुम देखो बाज़ी

ख़ुदा—4

मैं उड़ते हुए पंछियों को डराता हुआ
कुचलता हुआ घास की कलग़ियां
गिराता हुआ गर्दनें इन दरख़्तों की, छुपता हुआ
जिनके पीछे से
निकला चला जा रहा था वह सूरज
तआक़ुब में था उसके मैं
गिरफ़्तार करने गया था उसे
जो ले के मेरी उम्र का एक दिन भागता जा रहा था

वक़्त–1

वक़्त की आँख पे पट्टी बाँध के।
चोर सिपाही खेल रहे थे--
रात और दिन और चाँद और मैं--
जाने कैसे इस गर्दिश में अटका पाँव,
दूर गिरा जा कर मैं जैसे,
रौशनियों के धक्के से
परछाईं ज़मीं पर गिरती है!
धेय्या छूने से पहले ही--
वक़्त ने चोर कहा और आँखें खोल के
मुझको पकड़ लिया--

वक़्त--2

12

तुम्हारी फ़ुर्क़त में जो गुज़रता है,

        और फिर भी नहीं गुज़रता,

मैं वक़्त कैसे बयाँ करूँ, वक़्त और क्या है?

कि वक़्त बांगे जरस नहीं जो बता रहा है

        कि दो बजे हैं,

कलाई पर जिस अक़ाब को बाँध कर

        समझता हूँ वक़्त है,

वह वहाँ नहीं है!

वह उड़ चुका

जैसे रंग उड़ता है मेरे चेहरे का, हर तहय्युर पे,

और दिखता नहीं किसी को,

वह उड़ रहा है कि जैसे इस बेकराँ समन्दर से

भाप उड़ती है

और दिखती नहीं कहीं भी,

क़दीम वज़नी इमारतों में,

कुछ ऐसे रखा है, जैसे काग़ज़ पे बट्टा रख दें,

दबा दें, तारीख़ उड़ ना जाये,

13

मैं वक़्त कैसे बयाँ करुँ, वक़्त और क्या है?
कभी कभी वक़्त यूँ भी लगता है मुझको
जैसे, ग़ुलाम है!
आफ़ताब का इक दहकता गोला उठा के
हर रोज़ पीठ पर वह, फ़लक पे चढ़ता है चप्पा
चप्पा क़दम जमा कर,
वह पूरा कोहसार पार कर के,
उतारता है, उफ़ुक़ की दहलीज़ पर दहकता
हुआ सा पत्थर,
टिका के पानी की पतली सुतली पे, लौट
जाता है अगले दिन का उठाने गोला,
और उसके जाते ही
धीर धीरे वह पूरा गोला निगल के बाहर निकलती है
रात, अपनी पीली सी जीभ खोले,
ग़ुलाम है वक़्त गर्दिशों का,
कि जैसे उसका ग़ुलाम मैं हूँ!!

वक़्त–3

उफ़ुक़ फलाँग के उमड़ा हुजूम लोगों का
कोई मिनारे से उतरा, कोई मुँडेरों से
किसी ने सीढ़ियाँ लपकीं, हटाईं दीवारें--
कोई अज़ाँ से उठा है, कोई जरस सुन कर!
गुस्सीली आँखों में फुँकारते हवाले लिये,
गली के मोड़ पे आ कर हुये हैं जमा सभी!
हर इक के हाथ में पत्थर हैं कुछ अक़ीदों के
ख़ुदा की ज़ात को संगसार करने आये हैं!!

फ़सादात–1

मौजज़ा कोई भी उस शब ना हुआ--
जितने भी लोग थे उस रोज़ इबादतगाह में,
सब के होंठों पे दुआ थी,
और आंखों में चराग़ां था यक़ीं का
ये ख़ुदा का घर है,
ज़लज़ले तोड़ नहीं सकते इसे, आग जला सकती नहीं!
सैंकड़ों मौजज़ों की सब ने हिकायात सुनी थीं

सैंकड़ो नामों से उन सब ने पुकारा उसको,
ग़ैब से कोई भी आवाज़ नहीं आई किसी की,
ना ख़ुदा की--ना पुलिस की!!

सब के सब भूने गये आग में, और भस्म हुये।
मौजज़ा कोई भी उस शब ना हुआ!!

फ़सादात—2

मौजज़े होते हैं,—ये बात सुना करते थे!
वक़्त आने पे मगर—
आग से फूल उगे, और ना ज़मीं से कोई दरिया
फूटा
ना समन्दर से किसी मौज ने फेंका आँचल,
ना फ़लक से कोई कश्ती उतरी!

आज़माइश की थी कल रात ख़ुदाओं के लिये
कल मेरे शहर में घर उनके जलाये सब ने!!

फ़सादात—3

अपनी मर्ज़ी से तो मज़हब भी नहीं उसने चुना था,

उसका मज़हब था जो माँ बाप से ही उसने

विरासत में लिया था--

अपने माँ बाप चुने कोई ये मुमकिन ही कहां है

मुल्क में मर्ज़ी थी उसकी न वतन उसकी रज़ा से

वो तो कुल नौ ही बरस का था उसे क्यों चुन कर,

फ़िर्क़ादाराना फ़सादात ने कल क़त्ल किया--!!

फ़सादात—4

आग का पेट बड़ा है!
आग को चाहिए हर लहज़ा चबाने के लिये
                    खुश्क करारे पत्ते,
आग कर लेती है तिनकों पे गुज़ारा लेकिन----
आशियानों को निगलती है निवालों की तरह,
आग को सब्ज़ हरी टहनियाँ अच्छी नहीं लगतीं,
ढूंडती है, कि कहीं सूखे हुये जिस्म मिलें!

उसको जंगल की हवा रास बहुत है फिर भी,
अब ग़रीबों की कई बस्तियों पर देखा है हमला करते,
आग अब मंदिरो-मस्जिद की ग़ज़ा खाती है!
लोगों के हाथों में अब आग नहीं----
आग के हाथों में कुछ लोग हैं अब

फ़सादात—5

19

शहर में आदमी कोई भी नहीं क़त्ल हुआ,
नाम थे लोगों के जो क़त्ल हुये।
सर नहीं काटा, किसी ने भी, कहीं पर कोई--
लोगों ने टोपियाँ काटी थीं कि जिनमें सर थे!

और ये बहता हुआ सुर्ख़ लहू है जो सड़क पर,
ज़बह होती हुई आवाज़ों की गर्दन से गिरा था

फ़सादात—6

20

रात जब मुंबई की सड़कों पर
अपने पंजों को पेट में ले कर
काली बिल्ली की तरह सोती है
अपनी पलकें नहीं गिराती कभी,—
साँस की लम्बी लम्बी बौछारें
उड़ती रहती हैं ख़ुश्क साहिल पर!

मुंबई

अल्फ़ाज़ जो उगते, मुरझाते, जलते, बुझते
रहते हैं मेरे चारों तरफ़,
अल्फ़ाज़ जो मेरे गिर्द पतंगों की सूरत उड़ते
रहते हैं रात और दिन
इन लफ़्ज़ों के किरदार हैं, इनकी शक्लें हैं,
रंग रूप भी हैं--और उम्रें भी!

कुछ लफ़्ज़ बहुत बीमार हैं, अब चल सकते नहीं,
कुछ लफ़्ज़ तो बिस्तरेमर्ग पे हैं,
कुछ लफ़्ज़ हैं जिनको चोटें लगती रहती हैं,
मैं पट्टियाँ करता रहता हूँ!

अल्फ़ाज़ कई, हर चार तरफ़ बस यूँ ही
थूकते रहते हैं,
गाली की तरह--
मतलब भी नहीं, मक़सद भी नहीं--
कुछ लफ़्ज़ हैं मुंह में रखे हुये
'चूइंगम' की तरह हम जिनकी जुगाली करते हैं!

लफ़्ज़ों के दाँत नहीं होते, पर काटते हैं,
और काट लें तो फिर उनके ज़ख़्म नहीं भरते!
हर रोज़ मदरसों में 'टीचर' आते हैं गालें भर भर के,
छः छः घंटे अल्फ़ाज़ लुटाते रहते हैं,
बरसों के घिसे, बेरंग से, बेआहंग से,
फीके लफ़्ज़ कि जिनमें रस भी नहीं,
मानी भी नहीं!

इक भीगा हुआ, छल्का छल्का, वह लफ़्ज़ भी है,
जब दर्द छुए तो आँखों में भर आता है
कहने के लिये लब हिलते नहीं,
आँखों से अदा हो जाता है!!

आंसू—1

सुना है मिट्टी पानी का अज़ल से एक रिश्ता है,
जड़ें मिट्टी में लगती हैं,
जड़ों में पानी रहता है।

तुम्हारी आँख से आँसू का गिरना था कि दिल
में दर्द भर आया,
ज़रा से बीज से कोंपल निकल आयी!!

जड़ें मिट्टी में लगती हैं,
जड़ों में पानी रहता है!!

आंसू—2

24

शीशम अब तक सहमा सा चुपचाप खड़ा है,
भीगा भीगा ठिठुरा ठिठुरा।
बूँदें पत्ता पत्ता कर के,
टप टप करती टूटती हैं तो सिसकी की आवाज़
आती है!
बारिश के जाने के बाद भी,
देर तलक टपका रहता है!

तुमको छोड़े देर हुयी है--
आँसू अब तक टूट रहे हैं

आंसू–3

मुँह ही मुँह, कुछ बुड़बुड़ करता, बहता है
                                    ये बुड्ढा दरिया!

कोई पूछे तुझको क्या लेना, क्या लोग किनारों
                                    पर करते हैं,
तू मत सुन, मत कान लगा उनकी बातों पर!
घाट पे लच्छी को गर झूठ कहा है साले माधव ने,
तुझको क्या लेना लच्छी से? जाये, जा के डूब मरे!

यही तो दुःख है दरिया को!
जन्मी थी तो ''आँवल नाल'' उसी के हाथ में सौंपी
थी झूलन दाई ने,
उसने ही सागर पहुँचाये थे वह ''लीड़े'',
कल जब पेट नज़र आयेगा, डूब मरेगी
और वह लाश भी उस को ही गुम करनी होगी!
लाश मिली तो गाँव वाले लच्छी को बदनाम करेंगे!!

मुँह ही मुँह, कुछ बुड़बुड़ करता, बहता है
                                    ये बुड्ढा दरिया!

बुड्ढा
दरिया—1

26

मुँह ही मुँह, कुछ बुड़बुड़ करता, बहता है
ये बुड्ढा दरिया

दिन दोपहरे, मैंने इसको ख़र्राटे लेते देखा है
ऐसा चित बहता है दोनों पाँव पसारे
पत्थर फेकें, टांग से खेंचें, बगले आकर चोंचे मारें
टस से मस होता ही नहीं है
चौंक उठता है, जब बारिश की बूँदें
आ कर चुभती हैं
धीरे धीरे हाँफने लग जाता है उसके पेट का पानी।
तिल मिल करता, रेत पे दोनों बाहें मारने लगता है
बारिश पतली पतली बूँदों से जब उसके पेट में
गुदगुद करती है!

मुँह ही मुँह, कुछ बुड़बुड़ करता, बहता है
ये बुड्ढा दरिया!!

बुड्ढा दरिया–2

मुँह ही मुँह, कुछ बुड़बुड़ करता, बहता है
                    ये बुड्ढा दरिया!

पेट का पानी धीरे धीरे सूख रहा है,
दुबला दुबला रहता है अब!
कूद के गिरता था ये जिस पत्थर से पहले,
वह पत्थर अब धीरे से लटका के इस को
अगले पत्थर से कहता है,--
इस बुड्ढे को हाथ पकड़ के, पार करा दे!!

बुड्ढा
दरिया—3

28

मुँह ही मुँह, कुछ बुड़बुड़ करता, बहता रहता
है ये दरिया!
छोटी छोटी ख़्वाहिशें हैं कुछ उसके दिल में--
रेत पे रेंगते रेंगते सारी उम्र कटी है,
पुल पर चढ़ के बहने की ख़्वाहिश है दिल में!

जाड़ों में जब कोहरा उसके पूरे मुँह पर आ जाता है,
और हवा लहरा के उसका चेहरा पोंछ के जाती है--
ख़्वाहिश है कि एक दफ़ा तो
वह भी उसके साथ उड़े और
जंगल से ग़ायब हो जाये!!
कभी कभी यूँ भी होता है,
पुल से रेल गुज़रती है तो बहता दरिया,
पल के पल बस रुक जाता है--

इतनी सी उम्मीद लिये--
शायद फिर से देख सके वह, इक दिन उस
लड़की का चेहरा,
जिसने फूल और तुलसी उसको पूज के अपना
वर माँगा था--

उस लड़की की सूरत उसने,
अक्स उतारा था जब से, तह में रख ली थी!!

दरिया

30

खड़खड़ाता हुआ निकला है उफ़ुक़ से सूरज,
जैसे कीचड़ में फँसा पहिया धकेला हो किसी ने
चिब्बे टिब्बे से किनारों पे नज़र आते हैं।
रोज़ सा गोल नहीं है!
उधड़े-उधड़े से उजाले हैं बदन पर
और चेहरे पे खरोचों के निशाँ हैं!!

पेनटिंग–1

पेनटिंग–2

रात जब गहरी नींद में थी कल
एक ताज़ा सफ़ेद कैनवस पर,
आतिशीं लाल सुर्ख़ रंगों से,
मैंने रौशन किया था इक सूरज!

सुबह तक जल चुका था वह कैनवस,
राख बिखरी हुई थी कमरे में!!

पेनटिंग–3

"जोरहट" में, एक दफ़ा
दूर उफ़ुक़ के हल्के हल्के कोहरे में
'हेमन बरुआ' के चाय बागान के पीछे,
चाँद कुछ ऐसे रखा था,— —
जैसे चीनी मिट्‌टी की, चमकीली 'कैटल" रखी हो!!

रात को फिर बादल ने आकर
गीले गीले पंजों से जब दरवाज़े पर दस्तक दी,
झट से उठ के बैठ गया मैं बिस्तर में

अक्सर नीचे आ कर ये कच्ची बस्ती में,
लोगों पर गुर्राता है
लोग बेचारे डाम्बर लीप के दीवारों पर—
बंद कर लेते हैं झिरयाँ
ताकि झाँक ना पाये घर के अन्दर—

लेकिन, फिर भी—
गुर्राता, चिंघाड़ता बादल—
अक्सर ऐसे लूट के ले जाता है बस्ती,
जैसे ठाकुर का कोई गुन्डा,
बदमस्ती करता निकले इस बस्ती से!!

बादल—1

34

कल सुबह जब बारिश ने आ कर खिड़की पर
                              दस्तक दी, थी
नींद में था मैं--बाहर अभी अँधेरा था!

ये तो कोई वक़्त नहीं था, उठ कर उससे मिलने का!
मैंने पर्दा खींच दिया--
गीला गीला इक हवा का झोंका उसने
फूँका मेरे मुँह पर, लेकिन--
मेरी 'सेन्स ऑफ़ हियुमर' भी कुछ नींद में थी--
मैंने उठ कर ज़ोर से खिड़की के पट
                              उस पर भेड़ दिये--
और करवट ले कर फिर बिस्तर में डूब गया!

शायद बुरा लगा था उसको-- --
गुस्से में खिड़की के काँच पे
हत्थड़ मार के लौट गयी वह, दोबारा फिर
                              आयी नहीं-- --
खिड़की पर वह चटख़ा काँच अभी बाक़ी है!!

बादल--2

35

कुछ दिन से पड़ोसी के
घर में सन्नाटा है,
ना रेडियो चलता है,
ना रात को आँगन में
उड़ते हुये बर्तन हैं।

उस घर का पला कुत्ता--
खाने के लिये दिन भर,
आ जाता है मेरे घर
फिर रात उसी घर की
दहलीज़ पे सर रख कर
सो जाया करता है!

पड़ोसी--1

36

आँगन के अहाते में
रस्सी पे टँगे कपड़े
अफ़साना सुनाते हैं
एहवाल बताते हैं
कुछ रोज़ रुठाई के,
माँ बाप के घर रह कर
फिर मेरे पड़ोसी की
बीवी लौट आयी है।

दो चार दिनों में फिर,
पहले सी फ़िज़ा होगी,
आकाश भरा होगा,
और रात को आँगन से
कुछ ''कॉमेट'' गुज़रेंगे!
कुछ तश्तरियां उतरेंगी!

पड़ोसी—2

37

किताबें झांकती हैं बन्द अलमारी के शीशों से
बड़ी हसरत से तकती हैं
महीनों अब मुलाक़ातें नही होतीं
जो शामें इन की सोहबत में कटा करती थीं,
                                    अब अक्सर
गुज़र जाती हैं 'कमप्यूटर' के पर्दों पर
बड़ी बेचैन रहती हैं किताबें....
इन्हें अब नींद में चलने की आदत हो गई है
बड़ी हसरत से तकती हैं,

जो क़दरें वो सुनाती थीं।
कि जिन के 'सैल' कभी मरते नहीं थे
वो क़दरें अब नज़र आती नहीं घर में
जो रिश्ते वो सुनाती थीं
वह सारे उधड़े उधड़े हैं
कोई सफ़हा पलटता हूँ तो इक सिसकी निकलती है
कई लफ़्ज़ों के माने गिर पड़े हैं
बिना पत्तों के सुखे टुण्ड लगते हैं वो सब अल्फ़ाज़

किताबें

जिन पर अब कोई माने नहीं उगते
बहुत सी इसतलाहें हैं
जो मिट्टी के सिकूरों की तरह बिखरी पड़ी हैं
गिलासों ने उन्हें मतरूक कर डाला

ज़ुबान पर ज़ाएका आता था जो सफ़्हे पलटने का
अब उंगली 'क्लिक' करने से बस इक
झपकी गुज़रती है
बहुत कुछ तह-ब-तह खुलता चला जाता है परदे पर
किताबों से जो ज़ाती राब्ता था, कट गया है
कभी सीने पे रख के लेट जाते थे
कभी गोदी में लेते थे,
कभी घुटनों को अपने रिहल की सूरत बना कर
नीम सजदे में पढ़ा करते थे, छूते थे जबीं से
वो सारा इल्म तो मिलता रहेगा बाद में भी
मगर वो जो किताबों में मिला करते थे सूखे फूल
और महके हुए रुक़्के
किताबें मांगने, गिरने, उठाने के बहाने रिश्ते बनते थे
उनका क्या होगा?
वो शायद अब नहीं होंगे!

ये आईना बोलने लगा है,
मैं जब गुज़रता हूँ सीढ़ियों से,
ये बातें करता है--आते जाते में पूछता है
''कहाँ गयी वह फतुई तेरी------
ये कोट नेक-टाई तुझ पे फबती नहीं, ये
मसनूई लग रही है--''
ये मेरी सूरत पे नुकताचीनी तो ऐसे करता है
जैसे मैं उसका अक्स हूँ--
और वो जायज़ा ले रहा है मेरा।
''तुम्हारा माथा कुशादा होने लगा है लेकिन,
तुम्हारे 'आइब्रो' सिकुड़ रहे हैं--
तुम्हारी आँखों का फ़ासला कमता जा रहा है--
तुम्हारे माथे की बीच वाली शिकन बहुत गहरी
हो गयी है--''

कभी कभी बेतकल्लुफ़ी से बुला के कहता है!
''यार भोलू------
तुम अपने दफ़्तर की मेज़ की दाहिनी तरफ़ की
दराज़ में रख के

भूल आये हो मुस्कुराहट,
जहाँ पे पोशीदा एक फ़ाइल रखी थी तुमने
वो मुस्कुराहट भी अपने होंठों पे चस्पाँ कर लो,"

इस आईने को पलट के दीवार की तरफ़ भी
लगा चुका हूँ--
ये चुप तो हो जाता है मगर फिर भी देखता है--
ये आईना देखता बहुत है!
ये आईना बोलता बहुत है!!

आईना–1

आईना—2

मैं जब भी गुज़रा इस आईने से,
इस आईने ने कुतर लिया कोई हिस्सा मेरा।
इस आईने ने कभी मेरा पूरा अक्स वापस
नहीं किया है--
छुपा लिया मेरा कोई पहलू,
दिखा दिया कोई जाविया ऐसा,
जिस से मुझको, मेरा कोई ऐब दिख ना पाये।

मैं ख़ुद को देता रहूँ तसल्ली
कि मुझ सा तो दूसरा नहीं है!!

एक पशेमानी रहती है
उलझन और गिरानी भी....
आओ फिर से लड़ कर देखें
शायद इस से बेहतर कोई
और सबब मिल जाए हम को
फिर से अलग हो जाने का!!

उलझन

43

रात को अक्सर होता है, परवाने आकर,
टेबल लैम्प के गिर्द इकट्ठे हो जाते हैं
सुनते हैं, सर धुनते हैं
सुन के सब अश'आर ग़ज़ल के
जब भी मैं दीवान-ए-ग़ालिब
खोल के पढ़ने बैठता हूँ
सुबह फिर दीवान के रौशन सफ़्हों से
परवानों की राख उठानी पड़ती है।।

ग़ालिब

यAद है बारिशों का दिन पंचम
जब पहाड़ी के नीचे वादी में,
धुंद से झाँक कर निकलती हुई,
रेल की पटरियाँ गुज़रती थीं--!

धुंद में ऐसे लग रहे थे हम,
जैसे दो पौधे पास बैठे हों,।
हम बहुत देर तक वहां बैठे,
उस मुसाफ़िर का ज़िक्र करते रहे,
जिस को आना था पिछली शब, लेकिन
उसकी आमद का वक़्त टलता रहा!

देर तक पटरियों पे बैठे हुये
ट्रेन का इंतज़ार करते रहे।
ट्रेन आयी, ना उसका वक़्त हुआ,
और तुम यूँ ही दो क़दम चल कर,
धुंद पर पाँव रख के चल भी दिये

मै अकेला हूँ धुंद में पंचम!!

पंचम[1]

1. आर.डी. बर्मन

तारपीन तेल में कुछ घोली हुयी धूप की डलियाँ,
मैंने कैनवस पे बिखेरी थीं,------ मगर
क्या करुँ, लोगों को उस धूप में रंग दिखते नहीं!

मुझसे कहता था 'थियो' चर्च की सर्विस कर लूँ--
और उस गिरजे की ख़िदमत में गुज़ारुँ मैं
शबोरोज़ जहाँ--
रात को साया समझते हैं सभी, दिन को सराबों
का सफ़र!
उनको माद्दे की हक़ीक़त तो नज़र आती नहीं,
मेरी तस्वीरों को कहते हैं, तख़य्युल हैं,
ये सब वाहमा हैं!

मेरे 'कैनवस' पे बने पेड़ की तफ़सील तो देखें,
मेरी तख़लीक़ ख़ुदावन्द के उस पेड़ से कुछ कम
तो नहीं है!

उसने तो बीज को इक हुक्म दिया था शायद,
पेड़ उस बीज की ही कोख में था, और नुमायाँ
भी हुआ!

जब कोई टहनी झुकी, पत्ता गिरा, रंग अगर ज़र्द हुआ,
उस मुसव्विर ने कहाँ दख़ल दिया था,
जो हुआ सो हुआ------

मैंने हर शाख़ पे, पत्तों के रंग रूप पे मेहनत की है,
उस हक़ीक़त को बयाँ करने में जो हुस्ने-हक़ीक़त
है असल में

इन दरख़्तों का ये सँभला हुआ क़द तो देखो,
कैसे ख़ुद्दार हैं ये पेड़, मगर कोई भी मग़रूर नहीं,
इनको शे'रों की तरह मैंने किया है मौज़ूँ!
देखो ताँबे की तरह कैसे दहकते हैं ख़िज़ाँ के पत्ते,

"कोयला कानों" में झोंके हुये मज़दूरों की शक्लें,
लालटेनें हैं, जो शब देर तलक जलती रहीं
आलुओं पर जो गुज़र करते हैं कुछ लोग,
'पोटेटो ईटर्ज़'
एक बत्ती के तले, एक ही हाले में बँधे लगते हैं सारे!

मैने देखा था हवा खेतों से जब भाग रही थी,
अपने कैनवस पे उसे रोक लिया——
'रोलाँ' वह 'चिट्ठी रसाँ', और वो स्कूल में
                              पढ़ता लड़का,
'ज़र्द ख़ातून', पड़ोसन थी मेरी,——
फ़ानी लोगों को तग़य्युर से बचा कर, उन्हें
                कैनवस पे तवारीख़ की उम्रें दी हैं—!

सालहा साल ये तसवीरें बनायीं मैंने,
मेरे नक़्क़ाद मगर बोले नहीं—
उनकी ख़ामोशी खटकती थी मेरे कानों में,
उस पे तसवीर बनाते हुये इक कव्वे की वह
                              चीख़ पुकार—— — —
कव्वा खिड़की पे नहीं, सीधा मेरे कान पे आ
                              बैठता था,
कान ही काट दिया है मैंने!

मेरे 'पैलेट' पे रखी धूप तो अब सूख गयी है,
तारपीन तेल में जो घोला था सूरज मैंने,
आसमाँ उसका बिछाने के लिये——
चन्द बालिश्त का कैनवस भी मेरे पास नहीं है!

48

मैं यहाँ ''रेमी'' में हूँ,

''सेन्ट रेमी'' के दवाख़ाने में थोड़ी सी मरम्मत के

लिये भर्ती हुआ हूँ!

उनका कहना है कई पुर्ज़े मेरे ज़हन के अब

ठीक नहीं हैं--

मुझे लगता है वो पहले से सवा तेज़ हैं अब!

वैनगॉग का
एक ख़त

इक सन्नाटा भरा हुआ था,
एक गुब्बारे से कमरे में,
तेरे फ़ोन की घंटी के बजने से पहले।
बासी सा माहौल ये सारा
थोड़ी देर को धड़का था
साँस हिली थी, नब्ज़ चली थी,
मायूसी की झिल्ली आँखों से उतरी कुछ लम्हों को — —
फिर तेरी आवाज़ को, आख़री बार "ख़ुदा हाफ़िज़"
कह के जाते देखा था!
इक सन्नाटा भरा हुआ है,
जिस्म के इसी गुब्बारे में,
तेरे आख़री फ़ोन के बाद— —!!

गुब्बारे

आठ ही बिलियन उम्र ज़मीं की होगी शायद
ऐसा ही अन्दाज़ा है कुछ 'साइन्स' का
चार अशारिया छः बिलियन सालों की उम्र तो
बीत चुकी है
कितनी देर लगा दी तुम ने आने में
और अब मिल कर
किस दुनिया की दुनियादारी सोच रही हो
किस मज़हब और ज़ात और पात की फ़िक्र लगी है
आओ चलें अब----
तीन ही 'बिलियन' साल बचे हैं!

देर आयद

51

"वर्थ" जो सेन्ट है मिट्टी का
"वर्थ" जो तुमको भला लगता है
"वर्थ" के सेन्ट की ख़ुश्बू थी थियेटर में, गयी
रात के शो में,
तुमको देखा तो नहीं, सेन्ट की ख़ुश्बू से नज़र
आती रहीं तुम!

दो दो फ़िल्में थीं, बयक वक़्त जो पर्दे पे र'वां थीं,
पर्दे पर चलती हुयी फ़िल्म के साथ,
और इक फ़िल्म मेरे ज़हन पे भी चलती रही!

'एना' के रोल में जब देख रहा था तुमको,
'टॉलस्टॉय' की कहानी में हमारी भी कहानी के
सिरे जुड़ने लगे थे--

सूखी मिट्टी पे चटकती हुयी बारिश का वह मन्ज़र,
घास के सोंधे, हरे रंग,
जिस्म की मिट्टी से निकली हुयी ख़ुश्बू की वो यादें--

मंज़र-ए-रक़्स में सब देख रहे थे तुम को,
और मैं पाँव के उस ज़ख़्मी अंगूठे पे बंधी पट्टी को,

शॉट के फ्रेम में जो आई ना थी
और वह छोटा अदाकार जो उस रक़्स में
बे वजह तुम्हें छू के गुज़रता था,
जिसे झिड़का था मैंने!
मैंने कुछ शाट तो कटवा भी दिए थे उस के

कोहरे के सीन में, सचमुच ही ठिठुरती हुयी
                                महसूस हुयीं
हालाँकि याद था गर्मी में बड़े कोट से
उलझी थीं बहुत तुम!
और मसनूई धुएँ ने जो कई आफ़तें की थीं,
हँस के इतना भी कहा था तुमने!
''इतनी सी आग है,
और उस पे धुएँ को जो गुमां होता है वो
                                कितना बड़ा है''

बर्फ़ के सीन में उतनी ही हसीं थीं कल रात,
जितनी उस रात थीं, फ़िल्मा के पहलगाम से
                        जब लौटे थे दोनों,

53

और होटल में ख़बर थी कि तुम्हारे शौहर,
सुबह की पहली फ़्लाइट से वहाँ पहुँचे हुए हैं!

रात की रात, बहुत कुछ था जो तबदील हुआ,
तुमने उस रात भी कुछ गोलियाँ खा लेने की
कोशिश की थी,
जिस तरह फ़िल्म के आख़िर में भी
"एना कैरेनीना"
ख़ुदकुशी करती है, इक रेल के नीचे आ कर—!

आख़िरी सीन में जी चाहा कि मै रोक दूँ उस
रेल का इन्जन,
आँखें बन्द कर लीं, कि मालूम था वह 'एन्ड' मुझे!
पसेमन्ज़र में बिलकती हुयी मौसीक़ी ने उस
रिश्ते का अन्जाम सुनाया,
जो कभी बाँधा था हमने!

"वर्थ" के सेन्ट की ख़ुश्बू थी, थिएटर में,
गयी रात बहुत!

एना कैरेनीना

निज़ामे-जहाँ, पढ़ के देखो तो कुछ इस तरह
चल रहा है!

इराक़ और अमरीका की जंग छिड़ने के इमकान
फिर बढ़ गये हैं।
अलिफ़ लैला की दास्ताँ वाला वो शहरे-बग़दाद
बिल्कुल तबह हो चुका है।
ख़बर है किसी शख़्स ने गंजे सर पर भी अब
बाल उगाने की इक 'पेस्ट' ईजाद की है!
कपिल देव ने चार सौ विकेटों का अपना
रिकार्ड क़ायम किया है।
ख़बर है कि डायना और चार्ल्स अब, क्रिसमस
से पहले अलग हो रहे हैं।
किरोशा और सिलवानिया भी अलग होने ही
के लिये लड़ रहे हैं।
प्लास्टिक पे दस फ़ीसदी टैक्स फिर बढ़ गया है।

ये पहली नवम्बर की ख़बरें हैं सारी,—
निज़ामें-जहाँ इस तरह चल रहा है!

मगर ये ख़बर तो कहीं भी नहीं है,
कि तुम मुझसे नाराज़ बैठी हुई हो--
निज़ामें-जहाँ किस तरह चल रहा है?

ख़बर है

मैं कुछ कुछ भूलता जाता हूँ अब तुझको,
तेरा चेहरा भी धुँधलाने लगा है अब तख़य्युल में,
बदलने लग गया है अब वह सुब-हो-शाम का
मामूल, जिसमें
तुझसे मिलने का भी इक मामूल शामिल था!

तेरे ख़त आते रहते थे तो मुझको याद रहते थे
तेरी आवाज़ के सुर भी!
तेरी आवाज़ को काग़ज़ पे रख के, मैंने चाहा
था कि 'पिन' कर लूँ,
वो जैसे तितलियों के पर लगा लेता है कोई
अपनी अलबम में--!
तेरा 'बे' को दबा कर बात करना,
"वाव" पर होंटों का छल्ला गोल हो कर घूम
जाता था--!

बहुत दिन हो गये देखा नहीं, ना ख़त मिला कोई--
बहुत दिन हो गये सच्ची!!
तेरी आवाज़ की बौछार में भीगा नहीं हूँ मैं!

बौछार

ये राह बहुत आसान नहीं,
जिस राह पे हाथ छुड़ा कर तुम
यूं तन तन्हा चल निकली हो
इस ख़ौफ़ से शायद राह भटक जाओ न कहीं
हर मोड़ पे मैने नज़्म खड़ी कर रखी है!

थक जाओ अगर----
और तुमको ज़रुरत पड़ जाये,
इक नज़्म की ऊँगली थाम के वापस आ जाना!

इक नज़्म

58

अगर ऐसा भी हो सकता------
तुम्हारी नींद में, सब ख़्वाब अपने मुन्तक़िल कर के,
तुम्हें वो सब दिखा सकता, जो मैं ख़्वाबों में
अक्सर देखा करता हूँ--!

ये हो सकता अगर मुमकिन--
तुम्हें मालूम हो जाता,--
तुम्हें मैं ले गया था सरहदों के पार ''दीना[1]'' में।
तुम्हें वो घर दिखाया था, जहाँ पैदा हुआ था मैं,
जहाँ छत पर लगा सरियों का जंगला धूप से दिन भर
मेरे आँगन में शतरंजी बनाता था, मिटाता था--!
दिखायी थीं तुम्हें वो खेतियाँ सरसों की ''दीना''
में कि जिस के पीले-पीले फूल तुमको
ख़ाब में कच्चे खिलाये थे।
वहीं इक रास्ता था, ''टहलियों'' का, जिस पे
मीलों तक पड़ा करते थे झूले, सोंधे सावन के--
उसी की सोंधी ख़ुश्बू से, महक उठती हैं आँखें
जब कभी उस ख़्वाब से गुज़रूं!

1. शायर का पैदाइशी क़सबा, ज़िला झेलम (पंजाब, पाकिस्तान)

तुम्हें 'रोहतास'[2] का 'चलता-कुआँ'' भी तो
दिखाया था,
क़िले में बंद रहता था जो दिन भर, रात को
गाँव में आ जाता था, कहते हैं,
तुम्हें "काला[3]" से "कालूवाल[4]" तक ले कर
उड़ा हूँ मैं
तुम्हें "दरिया-ए-झेलम" पर अजब मन्ज़र दिखाये थे
जहाँ तरबूज़ पे लेटे हुये तैराक लड़के बहते रहते थे--
जहाँ तगड़े से इक सरदार की पगड़ी पकड़ कर मैं,
नहाता, डुबकियाँ लेता, मगर जब ग़ोता आ
जाता तो मेरी नींद खुल जाती!!
मगर ये सिर्फ़ ख़्वाबों ही में मुमकिन है
वहां जाने में अब दुशवारियाँ हैं कुछ सियासत की।
वतन अब भी वही है, पर नहीं है मुल्क अब मेरा
वहाँ जाना हो अब तो दो-दो सरकारों के
दसीयों दफ़्तरों से
शक्ल पर लगवा के मोहरें ख़्वाब साबित
करने पड़ते है।।

अगर ऐसा भी हो सकता...

2, 3, 4–ये सब ज़िला झेलम के मारूफ़ मक़ामात हैं

इक अदाकार हूं मैं!
मैं अदाकार हूं ना
जीनी पड़ती हैं कई ज़िन्दगियां एक हयाती में मुझे!

मेरा किरदार बदल जाता है, हर रोज़ ही सेट पर
मेरे हालात बदल जाते हैं
मेरा चेहरा भी बदल जाता है,
अफ़साना-ओ-मंज़र के मुताबिक़
मेरी आदात बदल जाती हैं।
और फिर दाग़ नहीं छूटते पहनी हुई पोशाकों के
ख़स्ता किरदारों का कुछ चूरा सा रह जाता है तह में
कोई नुकीला सा किरदार गुज़रता है रगों से
तो ख़राशों के निशाँ देर तलक रहते हैं दिल पर
ज़िन्दगी से ये उठाए हुए किरदार
ख़्याली भी नही' हैं
कि उतर जाएँ वो पंखे की हवा से
स्याही रह जाती है सीने में,
अदीबों के लिखे जुमलों की

सीमीं परदे पे लिखी
सांस लेती हुई तहरीर नज़र आता हूँ
मैं अदाकार हूँ लेकिन
सिर्फ़ अदाकार नहीं
वक़्त की तस्वीर भी हूं!!

नसीरुद्दीन
शाह के लिए

नुचे छीले गये कोहसार ने कोशिश तो की
गिरते हुये इक पेड़ को रोके,
मगर कुछ लोग कंधों पर उठा कर उसको
पगडंडी के रस्ते ले गये थे--कारख़ाने में!
फ़लक को देखता ही रह गया पथराई आँखों से!

बहुत नोची है मेरी खाल इन्साँ ने,
बहुत छीले हैं मेरे सर से जंगल उसके तेशों ने,
मेरे दरियाओं,
मेरे आबशारों को बहुत नंगा किया है,
इस हवस आलूद--इन्साँ ने--!
मेरा सीना तो फट जाता है लावे से,
मगर इन्सान का सीना नहीं फटता--
वह पत्थर है!!

कोहसार

63

मेरी दहलीज़ पर बैठी हुयी ज़ानो पे सर रखे
ये शब अफ़सोस करने आयी है कि मेरे घर पे
आज ही जो मर गया है दिन
वह दिन हमज़ाद था उसका!

वह आयी है कि मेरे घर में उसको दफ़्न कर के,
इक दीया दहलीज़ पे रख कर,
निशानी छोड़ दे कि महृव है ये क़ब्र,
इसमें दूसरा आकर नहीं लेटे!

मैं शब को कैसे बतलाऊँ,
बहुत से दिन मेरे आँगन में यूँ आधे अधूरे से
कफ़न ओढ़े पड़े हैं कितने सालों से,
जिन्हें मैं आज तक दफ़ना नहीं पाया!!

रात

दो बजने में आठ मिनट थे--
जब वह भारी बोरियों जैसी टाँगों से बिल्डिंग
               की छत पर पहुँचा था
थोड़ी देर को छत के फ़र्श पे बैठ गया था

छत पर एक कबाड़ी घर था,
सूखा सुकड़ा तिल्ले वाला, सूद निचोड़ू जागीरे
               का जूता वो पहचानता था,
इस बिल्डिंग में जिसका जो सामान मरा, बेकार
               हुआ, वो ऊपर ला के फेंक गया!

उसके पास तो कितना कुछ था,--
कितना कुछ जो टूट चुका है, टूट रहा है--
शौहर और वतन की छोड़ी हमशीरा कल पाकिस्तान
से बच्चे लेकर लौट आयी है!
सब के सब कुछ ख़ाली बोतलों डिब्बों जैसे लगते हैं,
चिब्बे, पिचके, बिन लेबल के!

सुबह भी देखा तो बूढ़ी दादी सोयी हुयी थी,--
मरी नहीं थी!
जब दोपहर को, पानी पी कर, छत पर आया था
वो तब भी,
मरी नहीं थी, सोयी हुयी थी!
जी चाहा उसको भी ला कर छत पे फेंक दे,
जैसे टूटे एक पलंग की पुश्त पड़ी है!

दूर किसी घड़ियाल ने साढ़े चार बजाये,
दो बजने में आठ मिनट थे, जब वो छत पर आया था!
सीढ़ियाँ चढ़ते चढ़ते उसने सोच लिया था,
जब उस पार "ट्रैफ़िक लाइट" बदलेगी
रुक जायेंगी सारी कारें,
तब वो पानी की टंकी के ऊपर चढ़ के, "पैरापेट" पर
उतरेगा, और--
चौदहवीं मंज़िल से कूदेगा!
उसके बाद अँधेरे का इक वक़्फ़ा होगा!

क्या वो गिरते गिरते आँखें बंद कर लेगा?
या आँखें कुछ और ज़्यादा फट जायेंगी?
या बस------सब कुछ बुझ जायेगा?
गिरते गिरते भी उसने लोगों का इक कोहराम सुना!
और लहू के छीटें, उड़ कर पोपट की दुकान
के ऊपर तक जाते भी देख लिये थे!

रात का एक बजा था जब वह सीढ़ियों से
फिर नीचे उतरा,
और देखा फ़ुटपाथ पे आ कर,
'चॉक' से खींचा, लाश का नक्शा वहीं पड़ा था,
जिसको उसने छत के एक कबाड़ी घर से फेंका था--!!

वारदात

और अचानक------
तेज़ हवा के झोंके ने कमरे में आ कर
                    हलचल कर दी--
पर्दे ने लहरा के मेज़ पे रखी ढेर सी काँच की
                    चीज़ें उल्टी कर दीं--
फड़ फड़ कर के एक किताब ने जल्दी से
                    मुँह ढांप लिया--
एक दवात ने ग़ोता खा के,
सामने रखे जितने कोरे काग़ज़ थे सबको रंग डाला--!
दीवारों पर लटकी तस्वीरों ने भी हैरत से
                    गर्दन तिरछी कर के देखा तुमको!

फिर से आना ऐसे ही तुम
और भर जाना कमरे में

ख़ुश आमदेद

68

''कपिल अवस्तू'' दूर नहीं है,
कपिल नगर के बाहर जंगल, कुछ छिदरा
                    छिदरा लगता है!
क्या लोंगों ने सूखने से पहले ही काट दिये हैं पेड़,
या शाखें ही जल्द उतर जाती हैं अब इन पेड़ों की?

कपिल नगर से बाहर जाते उस कच्चे रस्ते से
                    आख़िर कौन गया है,
रस्ता अब तक हाँप रहा है!
उस मिट्टी की तह के नीचे,
मेरे रथ के पहियों की पुरशोर खरोंचें,--
उन राहों को याद तो होंगी--

बुद्धम शरणम गच्छामि का जाप मुसलसल जारी है,
''आनन्दन''-- और ''राघव'' के होंटों पर
जो मेरे साथ चले आये हैं!
उनके होने से मन में कुछ साहस भी है--
'साहस' और 'डर' एक ही साँस के सुर हैं दोनों--
आरोही, अवरोही, जैसे चलते हैं--

69

और 'अना' ये मेरी कि मैं रहबर हूँ--
त्यागी भी हूँ--
राजपाट का त्याग किया है,
पत्नी और संतान के होते ....
क्या ये भी इक 'अना' है मेरी?
या चेहरे पर जड़ा हुआ ये,
दो आँखों का एक तराज़ू--
क्या खोया, क्या पाया, तौलता, रहता है--।

शहर की सीमा पर आते ही, साँस की लय में
फ़र्क़ आया है--
पिंजरे में इक बेचैनी ने पर फड़के हैं!
जाते वक़्त ये पगडंड़ी तो,
बाहर की जानिब उठ उठ कर देखा करती थी!
लौटते वक़्त ये पाँव पकड़ के,
घर की जानिब क्यों मुड़ती है?

मै सिद्धार्थ था,
जब इस बरगद के नीचे चोला बदला था,

बारह साल में कितना फैल गया है घेरा इस बरगद का,
क़द भी अब ऊँचा लगता है,--
'राहुल'[1] का क़द क्या मेरी नाभि तक होगा?
मुझ पर है तो कान भी उसके लम्बे होंगे--
माँ ने छिदवाये हों शायद--
रंग और आँखें, लगता था माँ से पायी हैं।
राज कुँवर है, घोड़ा दौड़ाता होगा अब,
'यश' क्या रथ पर जाने देती होगी उसको?

बुद्धम शरणम गच्छामि, और बुद्धम शरणम गच्छामि--
ये जाप मुसलसल सुनते सुनते,
अब लगता है जैसे मंतर नहीं, चेतावनी है ये--
''मुक्ति राह'' से बाहर आना,--
अब उतना ही मुश्किल है, जितना संसार से
बाहर जाना मुश्किल था!!

क्यों लौटा हूँ------?
क्या था जो मैं छोड़ गया था--

1. गौतम बुद्ध का बेटा

कौन सा छाज बिखेर गया था,
और बटोरने आया हूँ मैं--
उठते उठते शायद मेरी झोली से,
सम्बन्ध भरा इक थाल गिरा था--
गूँज हुई थी, लेकिन मैं ही वो आवाज़
फलाँग आया था--
हर सम्बन्ध बँधा होता है,
दोनों सिरों से,
एक सिरा तो खोल गया था,
दूसरा खुलवाना बाक़ी था--
शायद उस मन की गिरह को, खोलने
लौट के आया हूँ मैं!

आगे पीछ चलते मेरे चेलों की आवाज़ें
कहती रहती हैं,
महसूर हो तुम, तुम क़ैदी हो, उस ''ज्ञान मंत्र'' के,
जो तुमने ख़ुद ही प्राप्त किया है--
बुद्धम शरणम गच्छामि-- और बुद्धम शरणम गच्छामि!!

सिद्धार्थ की वापसी

राख

सलाख़ों के पीछे पड़े इन्क़लाबी की आँखों में भी
राख उतरने लगी है।
दहकता हुआ कोयला देर तक जब ना
फूँका गया हो,
तो शोले की आँखों में भी
मोतिये की सफ़ेदी उतर आती है!

बस इक लम्हे का झगड़ा था------
दरोदीवार पे ऐसे छनाके से गिरी आवाज़ जैसे
काँच गिरता है।
हर इक शय में गयीं उड़ती हुयी, जलती हुयी किर्चें!
नज़र में, बात में, लहजे में,
सोच और साँस के अन्दर।
लहू होना था इक रिश्ते का, सो वह हो गया
उस दिन--!
उसी आवाज़ के टुकड़े उठा के फ़र्श से उस शब,
किसी ने काट लीं नब्ज़ें---
ज़रा आवाज़ तक ना की,
कि कोई जाग ना जाये!!

—ख़ुदकुशी

बड़ी उदास है वादी
गला दबाया हुआ है किसी ने उंगली से
ये सांस लेती रहे, पर ये सांस ले न सके!

दरख़्त उगते हैं कुछ सोच सोच कर जैसे
जो सर उठाएगा पहले वही क़लम होगा
झुका के गर्दनें आते हैं अब्र, नादिम हैं
कि धोए जाते नहीं ख़ून के निशाँ उन से!

हरी हरी है, मगर घास अब हरी भी नहीं
जहां पे गोलियां बरसीं, ज़मीं भरी भी नहीं
वो 'माईग्रेटरी' पंछी जो आया करते थे
वो सारे ज़ख़्मी हवाओं से डर के लौट गए
बड़ी उदास है वादी — ये वादी-ए-कश्मीर!

वादी-ए-
कश्मीर
सलीम आरिफ़
के नाम

इक रात चलो तामीर करें,
ख़ामोशी के संगे-मरमर पर,
हम तान के तारीकी सर पर,
दो शम'एं जलाये जिस्मों की!
जब ओस, दबे पाँव उतरे
आहट भी ना पाये साँसों की,

कोहरे की रेशमी ख़ुशबू में,
ख़ुशबू की तरह ही लिपटे रहें
और जिस्म के सोंधे पर्दों में
रूहों की तरह लहराते रहें!!

रात तामीर
करें

''दायरे की असीरी'' (अहमद नदीम क़ासमी) ने
बहुत मुताअस्सिर किया था। उस का एक
सुबूत, जनाब सत्यपाल आनन्द की नज़्म से
मिला ''आस्मानी एलची से एक मुकालमा''—''दायरे
की असीरी'' ने ज़हन में कई सवाल खड़े कर
दिये!

इर्तक़ा की कौन सी मन्ज़िल है ये?
जुस्तजू की कौन सी हद है?
''ग्रैविटी'' की, क़रनों की असीरी खोल कर बाहर
                       निकलने की सई
सिर्फ़ पहली बार इस सतहे-ज़मीं से एड़ीयां
                       उचकी हैं हमने
बाक़ी दुनियाओं की मख़लूक़ात से वाक़िफ़ ही कब थे
बाक़ी मख़लूक़ात का अन्दाज़ा हो तो आगे सोचें

कब कहा था उसने, मख़लूक़ात में अशरफ़ हैं हम
क्या किसी को याद है, वो किस जगह
                       हम से मिला था?

77

वो कोई आवाज़ थी, या बस अलामत थी कोई,
जिसकी कि--
हमने ख़ुद ही इक तशरीह कर डाली!
कि हम अपनी ही हैरत को ख़ुदा का नाम
देकर जी रहें हैं!
काएनात इक बेकराँ काला समन्दर
काएनात इक गहरा और अन्धा कुआँ,
और उस में गर्दन डाल कर आवाज़ें देते जा रहें हैं
और जो सुनते हैं, वो लौटी हुई अपनी सदा है
अपनी ही आवाज़ से मसहूर लगते है
सृष्टी के सभी असरार खुलते जा रहे हैं
और गिरती जा रही हैं चादरें अफ़लाक की
और जुस्तजू का ये सफ़र तो अब शुरु होने लगा है
हर कदम क़ुरनों में उठता है यहां
इर्तक़ा की इबतदाई मन्ज़िलें हैं!
ये पड़ाव है ज़मीं पर
नस्ल भी ये इबतदाई है
जिस्म ये झड़ते रहेंगे

जिस तरह पेड़ों से पत्ते
सिर्फ़ इक क़तरा 'इनर्जी' का बिलआख़िर
नूर की इक बूंद ले कर
वस्ते काएनात तक जाना है हम को!

ज़मीन पर
पड़ाव

याद है इक दिन------
मेरे मेज़ पे बैठे बैठे,
सिगरेट की डिबिया पर तुमने,
छोटे से इक पौधे का,
एक स्केच बनाया था------!
आकर देखो,
उस पौधे पर फूल आया है!

स्केच

80

ये मन्ज़र पहले देखा है!
फ़ौज की फ़ौज खड़ी है जम कर
बन्दूकें ताने कंधों पर
और हुजूम इक लोगों का, बाहें लहराता

शायद उन्नीस सौ उन्नीस और अमृतसर है,
जलियाँवाला बाग़ से मिलता जुलता है,

या उन्नीस सौ छत्तीस में लाहौर का मन्ज़र,
तहरीके आज़ादी के उस सालाना जलसे के फ़ौरन
बाद का दिन है!
इस तसवीर में कितना कुछ जाना पहचाना सा
लगता है,
इन लोगों के चेहरे भी पहचाने से हैं,
इन चेहरों पर मायूसी और गुस्से की तहरीरें भी,
इनकी उम्रें, इनके जज़्बे,
मैं उन सब से वाक़िफ़ हूँ!

हो सकता है, सन् उन्नीस सौ बयालीस था,
और इलाहाबाद था

चौक के बीचोंबीच बने इस गोल जज़ीरे के जंगले में,
फौज की फ़ौज खड़ी थी जम कर,
दायरा खींचे, बन्दूकें ताने कंधों पर,
और हुजूम इक लोगों का, बाँहे लहराता
बल्ली बल्ली हाथ उछलते हुए हवा में,
मुट्ठियाँ भींचे,

लोगों के हाथों में तब भी
ऐसा ही इक झंडा था--
नारों की आवाज़ यही थी,
इसी तरह से चली थी गोली,
इसी तरह कुछ लोग मरे थे,
और सड़क पर ख़ून बहा था--!

चौक के बीचों बीच मगर,
उस लोहे के जंगले के अन्दर,
इक अंग्रेज़ का बुत था पहले,
अब, गाँधी की मूर्ती है।
लेकिन अब तो-- -- --
सन् उन्नीस सौ बानवे है!!

एक मंज़र.....

कुल्लू वादी

बादलों में कुछ उड़ती हुई भेड़ें नज़र आती हैं
दुम्बे दिखते हैं कभी भालु से कुश्ती लड़ते
ढीली सी पगड़ी में इक बुड्ढा मुझे देख के
हैरान सा है

कोई गुज़रा है वहां से शायद
धूप में डूबा हुआ ब्रश लेकर
बर्फ़ों पर रंग छिड़कता हुआ--जिस के क़तरे
पेड़ों की शाख़ों पे भी जाके गिरे हैं

दौड़ के आती है बेचैन हवा झाड़ने रंगीन छींटे
ऊंचे, जाटों की तरह सफ़ में खड़े पेड़ हिला देती है
और इक धुंधले से कोहरे में कभी
मोटरें नीचे उतरती हैं पहाड़ों से तो लगता है
चादरें पहने हुए, दो दो सफ़ों में
पादरी शमाएँ जलाए हुए जाते हैं इबादत के लिए

कुल्लू की वादी में हर रोज़ यही होता है
शाम होते ही उतर आता है बादल नीचे
ओढ़नी डाल के मन्ज़र पे, मुनादी करने
आज दिन भर की नुमाइश थी, यहीं ख़त्म हुई!

उसे फिर लौट कर जाना है, ये मालूम था उस
वक़्त भी जब शाम की--
सुर्ख़ोसुनहरी रेत पर वह दौड़ती आयी थी,
और लहरा के--
यूँ आग़ोश में बिखरी थी जैसे पूरे का पूरा
समन्दर--ले के उमड़ी है,

उसे जाना है वो भी जानती तो थी,
मगर हर रात फिर भी हाथ रख कर चाँद पर
खाते रहे क़समें,
ना मैं उतरुँगा अब साँसों के साहिल से,
ना वह उतरेगी मेरे आसमाँ पर झूलते तारों
की पींगों से
मगर जब कहते कहते दास्ताँ, फिर वक़्त ने
लम्बी जम्हाई ली,
ना वह ठहरी--
ना मैं ही रोक पाया था!

बहुत फूँका सुलगते चाँद को, फिर भी उसे
इक इक कला घटते हुये देखा
बहुत खींचा समन्दर को मगर साहिल तलक
हम ला नहीं पाये,
सहर के वक़्त फिर उतरे हुये साहिल पे
इक डूबा हुआ ख़ाली समन्दर था!!

ख़ाली
समन्दर

85

सफ़ेदा चील जब थक कर कभी नीचे उतरती है
पहाड़ों को सुनाती है
पुरानी दास्तानें पिछले पेड़ों की--!

वहाँ देवदार का इक ऊँचे क़द का, पेड़ था पहले
वो बादल बाँध लेता था कभी पगड़ी की सूरत
अपने पत्तों पर,
कभी दोशाले की सूरत उसी को ओढ़ लेता था--
हवा की थाम कर बाँहें--
कभी जब झूमता था, उससे कहता था,
मेरे पाँव अगर जकड़े नहीं होते,
मैं तेरे साथ ही चलता-- --!

उधर शीशम था, कीकर से कुछ आगे,
बहुत लड़ते थे वह दोनों--
मगर सच है कि कीकर उसके ऊँचे
क़द से जलता था--
सुरीली सीटियाँ बजती थीं जब शीशम के पत्तों में,
परिन्दे बैठ कर शाख़ों पे, उसकी नक़लें करते थे--

वहाँ इक आम भी था,
जिस पे इक कोयल कई बरसों तलक आती रही—
जब बौर आता था—
उधर दो तीन थे जो गुलमोहर, अब एक बाक़ी है,
वह अपने जिस्म पर खोदे हुये नामों को ही
सहलाता रहता है—
उधर इक नीम था
जो चाँदनी से इश्क़ करता था—
नशे में नीली पड़ जाती थीं सारी पत्तियाँ उसकी।

ज़रा और उस तरफ़ परली पहाड़ी पर,
बहुत से झाड़ थे जो लम्बी लम्बी साँसें लेते थे,
मगर अब एक भी दिखता नहीं है, उस पहाड़ी पर!
कभी देखा नहीं, सुनते हैं, उस वादी के दामन में,
बड़े बरगद के घेरे से बड़ी इक चम्पा रहती थी,
जहाँ से काट ले कोई, वहीं से दूध बहता था,
कई टुकड़ों में बेचारी गयी थी अपने जंगल से—!

सफ़ेदा चील इक सूखे हुए से पेड़ पर बैठी
पहाड़ों को सुनाती है पुरानी दास्तानें ऊँचे पेड़ों की,
जिन्हें इस पस्त कद इन्साँ ने काटा है, गिराया है,
कई टुकड़े किये हैं और जलाया है!!

सब्ज़ लम्हे

88

क्या लिये जाते हो तुम कंधों पे यारो
इस जनाजे में तो कोई भी नहीं है,
दर्द है कोई, ना हसरत है, ना गम है––
मुस्कराहट की अलामत है ना कोई आह का नुक़्ता
और निगाहों की कोई तहरीर ना आवाज़ का क़तरा
कब्र में क्या दफ़्न करने जा रहे हो?

सिर्फ मिट्टी है ये मिट्टी——––
मिट्टी को मिट्टी में दफ़नाते हुये
रोते हो क्यों?

मर्सिया

89

वो दोस्त कल गुज़र गया
वो दोस्त अब नहीं रहा

ग़ुरुबे-आफ़ताब के
सुनहरी पेड़ के तले

जहाँ वो रोज़ मिलता था
वहीं पे दफ़्न कर दिया!

मैं नीम अँधेरी क़ब्र में
सुला रहा था जब उसे

तो नीम वा निगाह से
वो देखता रहा मुझे!

हथेलियों से आँख के
चराग़ भी बुझा दिये

कि दो जहाँ के सिलसिले
ज़मीं पे ही चुका दिये!

जब वहाँ से लौटा तो
वो साथ साथ आ गया

वो दोस्त जो नहीं रहा
वो दोस्त कल गुज़र गया

अमजद ख़ान

वो पुल की सातवीं सीढ़ी पे बैठा कहता रहता था
किसी थैले में भर के गर ख़्याल अपने
मैं दरवाजों पे हरकारे की सूरत जा के पहुँचाता,
चमकती बूँदें बारिश की, किसी की जेब में भर के,
गले में बादलों का एक मफ़लर डाल के आता,
वह भीगा भीगा सा रहता--!
किसी के कान में दो बालियों से चाँद पहनाता,
मछेरों की कोई लड़की अगर मिलती--
गरजते बादलों को बाँध कर बालों के जूड़े में,
धनक की वेणी दे आता--
मुझे गर कहकशाँ को बाँटने का हक़ दिया होता,
खुदा ने तो...

कोई फ़ुटपाथ से बोलाः
''अबे औलाद शायर की------
बहुत खायी हैं रूखी रोटियाँ मैंने
जो ला सकता है तो
इक बार कुछ सालन ही ला कर दे!''

शायर

गेट के अन्दर जाते ही इक हौज़ ख़ास है
सैंकड़ों किस्सों की क़ाई से भरा हुआ है--
चारों जानिब छः सौ साल पुराने साये सूख रहे हैं--
गुज़रे वक़्त की तमसीलों पर
गाईड वर्क़ लगा के माज़ी बेच रहा है।

माज़ी के उस गेट के बाहर
हाथों की रेखायें रख के पटरी पर,
पंचांगों का ज्योतिषी कोई,
मुस्तक़बिल की पुड़ियाँ बाँध के बेच रहा है--

माज़ी—
मुस्तक़बिल

पीछे, शाम के हल्दी रंग आकाश की चादर
सामने बिजली के दो लम्बे तार खिचे हैं,
उन पर काले काले पंछी---
ऐसे ध्यान लगाये बैटे रहते हैं
जैसे कोई हिन्दी के अक्षर ला कर, रख जाता है!
शाम पड़े ही,
रोज़ाना कोई राज कवि इन तारों पर,
इक दोहा लिख जाता है!

हवामहल
जयपुर

खर्ची

मुझे ख़र्ची में पूरा एक दिन, हर रोज़ मिलता है
मगर हर रोज़ कोई छीन लेता है,
झपट लेता है, अंटी से!

कभी खीसे से गिर पड़ता है तो गिरने की
आहट भी नहीं होती,
खरे दिन को भी मैं खोटा समझ के भूल जाता हूं!—

गिरेबाँ से पकड़ के माँगने वाले भी मिलते हैं!
"तरी गुज़री हुयी पुश्तों का क़र्ज़ा है,
तुझे क़िश्तें चुकानी हैं—"

ज़बरदस्ती कोई गिरवी भी रख लेता है, ये कह कर,
अभी दो चार लम्हे ख़र्च करने के लिये रख ले,
बक़ाया उम्र के खाते में लिख देते हैं,
जब होगा, हिसाब होगा

बड़ी हसरत है पूरा एक दिन इक बार मैं
अपने लिये रख लूँ,
तुम्हारे साथ पूरा एक दिन बस ख़र्च
करने की तमन्ना है!!

कभी कभी, जब मैं बैठ जाता हूं अपनी नज़्मों
के सामने निस्फ़ दायरे में
मिज़ाज पूछूं
कि एक शायर के साथ कटती है किस तरह से?
वो घूर के देखती हैं मुझ को
सवाल करती हैं! उन से मैं हूं?
या मुझ से हैं वो?
वो सारी नज़्में, कि मैं समझता हूं वह मेरे
"जीन" से हैं लेकिन
वो यूं समझती हैं उन से है मेरा नाक नक़्शा
ये शक्ल उन से मिली है मुझ को!
मिज़ाज पूछूं मैं क्या? कि इक नज़्म आगे आती है
छू के पेशानी पूछती है!
"बताओ गर इनतशार है कोई सोच में तो?
मै पास बैटूं?
मदद करुं और बीन दूं उलझनें तुम्हारी?"
'उदास लगते हो,' एक कहती है पास आकर
"जो कह नहीं सकते तुम किसी को
तो मेरे कानों में डाल दो राज़ अपनी
सरगोशियों के, लेकिन,

गर इक सुनेगा, तो सब सुनेंगे!''
भड़क के कहती है एक नाराज़ नज़्म मुझ से
''मैं कब तक अपने गले में लूंगी तुम्हरी
आवाज़ की ख़राशें?''
इक और छोटी से नज़्म कहती है
''पहले भी कह चुकी हूं शायर,
चढ़ान चढ़ते अगर तेरी सांस फूल जाए
तो मेरे कंधों पे रख दे कुछ बोझ मैं उठालूं''
वो चूप सी इक नज़्म पीछे बैठी जो टकटकी बांधे
देखती रहती है मुझे—बस,
ना जाने क्या है कि उसकी आंखों का रंग
तुम पर चला गया है
अलग अलग हैं मिज़ाज सब के
मगर कहीं न कहीं वो सारे मिज़ाज मुझ में बसे हुए हैं
मैं उन से हूं या....

मुझे ये एहसास हो रहा हैं
जब उन को तक़्लीफ़ दे रहा था
वो मुझ को तक़्लीफ़ दे रही थीं!!

है सोंधी तुर्श सी ख़ुश्बू धुएँ में,
अभी काटी है जंगल से,
किसी ने गीली सी लकड़ी जलायी है!
तुम्हारे जिस्म से सरसब्ज़ गीले पेड़ की
ख़ुश्बू निकलती है!

घनेरे काले जंगल में,
किसी दरिया की आहट सुन रहा हूँ मैं,
कोई चुपचाप चोरी से निकल के जा रहा है!
कभी तुम नींद में करवट बदलती हो तो
बल पड़ता है दरिया में!

तुम्हारी आँख में परवाज दिखती है परिन्दों की
तुम्हारे क़द से अक्सर आबशारों के हसीं क़द याद है!

जंगल

मुझे वाघा पे टोबा टेकसिंह वाले 'बिशन' से
                               जा के मिलना है
सुना है वो अभी तक सूजे पैरों पर खड़ा है
          जिस जगह 'मन्टो' ने छोड़ा था
वह अब तक बड़बड़ाता है
'उप्पर दी गुड़ गुड़ दी मुंग दी दाल दी लालटेन....'

पता लेना है उस पागल का
ऊंची डाल पर चढ़ कर जो कहता था
ख़ुदा है वो
उसी को फ़ैसला करना है
          किस का गांव किस हिस्से में जाएगा
वो कब उतरेगा अपनी डाल से
उस को बताना है
अभी कुछ और भी दिल हैं
कि जिन को बांटने का, काटने का काम जारी है
वो बटवारा तो पहला था
अभी कुछ और बटवारे भी, बाक़ी हैं!!

मुझे वाघा पे टोबा टेकसिंह वाले बिशन से
                               जाके मिलना है

99

ख़बर देनी है उस के दोस्त 'अफ़ज़ल' को
वह 'लहनासिंह', 'वधावा सिंह' वो 'भैन अमृत'
जो सारे क़त्ल होकर इस तरफ़ आए थे
उनकी गर्दनें सामान ही में
लुट गईं पीछे
ज़बह करदे वह "भूरी", अब कोई लेने न आएगा
वो लड़की एक उंगली जो बड़ी होती थी हर
बारह महीनों में
वो अब हर इक बरस इक पोटा पोटा
घटती रहती है

बताना है कि सब पागल अभी पहुंचे नहीं
अपने ठिकानों पर
बहुत से इस तरफ़ हैं, और बहुत से उस
तरफ़ भी हैं
मुझे वाघा पे टोबा टेकसिंह वाला बिशन अक्सर
यही कह के बुलाता है
'उप्पर दी गुड़ गुड़ दी मुंग दाल दी लालटेन,—
दी हिन्दुस्तान ते पाकिस्तान दी दुर फिटें मुंह!!

टोबा टेकसिंह

देर तक बैठे हुये दोनों ने बारिश देखी!
वो दिखाती थी मुझे बिजली के तारों पे
            लटकती हुयी बूँदें
जो तआकुब में थीं इक दूसरे के!
और इक दूसरे को छूते ही तारों से टपक जाती थीं!
मुझको ये फ़िक्र की बिजली का करंट
छू गया नंगी किसी तार को तो आग लगा देने
            का बाइस होगी!

उसने काग़ज़ की कई कश्तियाँ पानी में उतारीं,
और ये कह के बहा दीं कि समन्दर में मिलेंगे,
मुझको ये फ़िक्र कि इस बार भी सैलाब का पानी,
कूद के उतरेगा कोहसार से जब,
तोड़ के ले जायेगा यह कच्चे किनारे!

ओक में भर के वो बरसात का पानी,
अधभरी झीलों को तरसाती रही------
वो बहुत छोटी थी, कमसिन थी,
            वो मासूम बहुत थी--

101

आबशारों के तरन्नुम पे क़दम रखती थी और
गूँजती थी।
और मैं उम्र के अफ़कार में गुम--
तजुरबे हमराह लिये
साथ ही साथ मैं बहता हुआ, चलता हुआ,
बहता गया--!!

दोनो

मैं अपने बिज़नेस के सिलसिले में,
कभी कभी उसके शहर जाता हूँ तो गुज़रता हूँ
उस गली से।
वो नीम तारीक सी गली,
और उसी के नुक्कड़ पे ऊँघता सा
पुराना इक रौशनी का खम्बा,
उसी के नीचे तमाम शब इंतज़ार कर के,
मैं छोड़ आया था शहर उसका!

बहुत ही ख़स्ता सी रौशनी की छड़ी को टेके,
वो खम्बा अब भी वहीं खड़ा है!!
फ़तूर है यह, मगर मैं खम्बे के पास जा कर,
नज़र बचा के मोहल्ले वालों की,
पूछ लेता हूँ आज भी ये--
वो मेरे जाने के बाद भी, आयी तो नहीं थी?
वह आयी थी क्या?

वही गली
थी...

बड़ी सी एक लड़की थी,--
मेरा बस्ता पकड़ के, और दरवाज़े के पीछे
खींच कर मुझको,
मेरे बस्ते से उसने 'गाचनी' मिट्टी चुरायी थी,
कुतर के दाँत से वो मुस्कुरायी थी।
मेरे गालों पे 'पप्पी' ले के बोली थी,
''मुझे दे दे ये मिट्टी,
मुझको तख़्ती पोत कर इक नाम लिखना है।''
"वो कोई हामिला होगी" मुझे माँ ने बताया था

मैं शायद छः बरस का था!
मैं अब छप्पन बरस का हूँ--
मैं अब भी हामिला हूँ याद से उसकी,
वो लड़की अब भी मुझको याद आती है!!

दीना में--

दीवार के बीचोंबीच जड़ी इक चौरस खिड़की,
चौरस इक आकाश का टुकड़ा थाम के
बैठी रहती है।

इतने से आकाश के 'सीमीं पर्दे' पर,
दिन और रात के कितने मन्ज़र आते हैं और
जाते हैं--
सुबह सुबह जब रौशनी 'फ़ेड इन' होती है,
और पसेमन्ज़र में चिड़ियों की आवाज़ें गूँजती हैं--
शाख़ पे लटका जामुनी रंग का फूल
उतरता है, ऊपर से,
झूल झूल के, करतब दिखला के फिर
ऊपर उठ जाता है।
और कभी उस शाख़ पे इक बादामी चिड़िया,
फूल के साथ नज़र आती है पर्दे पर,
दोनों में कुछ है, लगता है--
ब्याहे, ब्याहे से लगते हैं।

जब मन्ज़र तब्दील होता है,
ऊँचे-ऊँचे शमलों वाले 'गभरु' बादल,

105

काले-काले घोड़ों के रथ दौड़ाते हैं।
लगता है सब रणभूमि की ओर चले हैं।
नेज़े भाले, तलवारों के टकराने से बिजली
                कौंधती रहती है,
फिर युद्ध का मंज़र छट जाता है,
सुर्ख़ लहू भी सिंदूरी होते होते
                फिर काला पड़ने लगता है--
सब तस्वीरें धुल जाती हैं--!

कश्ती खेते-खेते फिर 'सीमीं पर्दे' पर चाँद आता है--
मालकोस की धुन पर 'सा-मा, सा-मा, गा-सा,
गाते-गाते तारे भर जाते हैं--
मन्ज़र तो चलता रहता है।
मेरी दोनों आँखें जब तक नींद में डूबने लगती हैं--

हस्पताल के,
इक चौकोर से कमरे की दीवार के बीचोंबीच
                जड़ी इक चौरस खिड़की,
चौरस इक आकाश का टुकड़ा थामे बैठी रहती है।

युद्ध

106

विडियो

उम्र इक स्पूल पे लिपटी होती--या लिपटती जाती,
और तस्वीरें शबोरोज़ की महफ़ूज़ भी हो जातीं
सभी, टेप के ऊपर--

मैं तेरे दर्दों को दोबारा से जीने के लिये,
रोज़ दोहराता उन्हें, रोज़ 'रि-वाइन्ड' करता,
वो जो बरसों में जिया था, उसे हर शब जीता!!

पतझड़

जब जब पतझड़ में पेड़ों से पीले पीले
पत्ते मेरे लॉन में आ कर गिरते हैं--
रात को छत पर जा कर मैं
आकाश को तकता रहता हूँ--
लगता है कमज़ोर सा पीला चाँद भी शायद,
पीपल के सूखे पत्ते सा,
लहराता लहराता मेरे लॉन में आ कर उतरेगा!!

और समन्दर मर गया, उस रात जिस शब,
उसके साहिल से लगी चट्टान से,
कूद कर जाँ दे दी उस महताब ने------
जिसका चेहरा देख कर तूफ़ान उठते थे
                                    समन्दर में कभी,
उस के पांव की गुलाबी एड़ियों के नीचे अपनी
बिलबिलाती झाग के नम्दे बिछाने के लिये--
साहिलों पर सर पटख़ देती थीं लहरें--लेट जाती थीं

लौट कर अपने उफ़ुक़ पर,
ग़र्क़ सब लहरें हुयीं।
और समन्दर मर गया उस रात जब,
उसके साहिल से लगी चट्टान से,
कूद कर जाँ दे दी उस महताब ने!!

और समन्दर
मर गया...

109

कभी पर्वत की ऊँची चोटियों पर जब,
धुएँ जैसे घने बादल सुलगते हैं,
मुझे पर्वत बहुत बेचैन लगते हैं!

हवायें पर्वतों की, जंगलों में, बैन करती
दौड़ती हैं जब,
पता चलता है कि पर्वत परेशाँ हैं!
बड़े नाराज़ लगते हैं वो जब अपनी चट्टानों को
उठा कर ख़ंदक़ों में फेंक देते हैं!
ज़मीं हिलती है जब पाँव पटख़ते हैं।

उन्हें अच्छा नहीं लगता,
सुरंगें खोद के सीने में उनके,
जब कोई बारूद के गोले उड़ाता है!!

पर्वत

ये सात रंगी धनक कौन चढ़ के साफ़ करे
हज़ार जाले लगे हैं, स्याह लगती है।
कोई उम्मीद अगर उड़ के छू भी ले इस को
तो गर्द उड़ती है, या रंग भुरने लगते हैं

फ़लक खुला था तो सोचा कि धूप निकलेगी
ये 'दाग़ दाग़ उजाला' भी छट ही जाएगा
मगर इस आधी सदी में--
पुरानी छत का सा लगता है आसमान मुझे
मरीज़ लगती है सुबहें, ज़ईफ़ लगता है सूरज

दरख़्त इतने गिरे हैं पुराने और घने
परन्दि डरते हैं शाख़ों पे तिनके रखते हुए
अक़ीदे तोड़े हैं इतने ज़्यादा लोगों ने
चलें जो चार कदम, तलवे कटने लगते हैं
मैं किस उम्मींद के पर खोलूं और उड़ाऊं उसे
ये सात रंगी धनक कौन चढ़ के साफ़ करे

ये सात रंगी धनक

दिन

आज का दिन जब मेरे घर में फ़ौत हुआ,
जिस्म की रंगत जगह जगह से फटी हुयी थी--
सुर्ख़ ख़राशें रेंग रही थीं, बाँहों पर!
पलकें झुलसी झुलसी सी, और चेहरा धज्जी
धज्जी था--
हाथ में थे कुछ चीथड़े से अख़बारों के
लब पे एक शिकस्ता सी आवाज़ थी बस!
देख ज़रा इन बारह चौदह घंटों में क्या हालत
की है दुनिया ने!

बे-यारो मददगार ही काटा था सारा दिन
कुछ ख़ुद से अजनबी सा,
तन्हा, उदास सा,
साहिल पे दिन बुझा के मैं, लौट आया फिर वहीं,
सुनसान सी सड़क के ख़ाली मकान में!

दरवाज़ा खोलते ही, मेज़ पे रखी किताब ने,
हल्के से फड़फड़ा के कहा,
"देर कर दी दोस्त!"

दोस्त

113

बीमार याद

इक याद बड़ी बीमार थी कल,
कल सारी रात उसके माथे पर,
बर्फ़ से ठंडे चाँद की पट्टी रख रख कर--
इक इक बूँद दिलासा दे कर,
अज़हद कोशिश की उसको ज़िन्दा रखने की!
पौ फटने से पहले लेकिन------
आख़री हिचकी लेकर वह ख़ामोश हुयी!!

इक क़ब्र

इक क़ब्र में रहता हूँ---!
इस क़ब्र की आँतें हैं,
इस क़ब्र में जो कुछ भी,
ला कर दफ़नाता हूँ,
ये हज़्म तो करती है,
मुँह बंद नहीं करती,

छः फुट से ज़रा कम है,
कितना कुछ दफ़नाया,
भरती ही नहीं कमबख़्त!
जिस क़ब्र में रहता हूँ!!

चाँद लाहौर की गलियों से गुज़र के इक शब
जेल की ऊँची फ़सीलें चढ़ के,
यूँ 'कमान्डो' की तरह कूद गया था 'सेल' में,
कोई आहट ना हुयी,
पहरेदारों को पता ही ना चला!

'फ़ैज़' से मिलने गया था, ये सुना है,
'फ़ैज़' से कहने, कोई नज़्म कहो,
वक़्त की नब्ज़ रुकी है!
कुछ कहो,
वक़्त की नब्ज़ चले!!

ज़िन्दाँनामा

116

रोज़ आता है ये बहरूपिया, इक रूप बदल कर,
रात के वक़्त दिखाता है, 'कलायें' अपनी,
और लुभा लेता है मासूम से लोगों को अदा से!

पूरा हरजाई है, गलियों से गुज़रता है, कभी
                छत से, बजाता हुआ सीटी--
रोज़ आता है जगाता है, बहुत लोगों को शब भर!
आज की रात उफ़ुक़ से कोई,
चाँद निकले तो गिरफ़्तार ही कर लो!!

चाँद समन

117

ज़ेरौक्स

'ज़ेरौक्स' करा के रखी है क्या रात उसने?
हर रात वही नक़्शा, और नुक़्ते तारों के--
हर रात वही तहरीर लुढ़कते 'सय्यारों' की--
असरार वही, अफ़सूँ भी वही
हर रात उन्हीं तारों पे क़दम रख रख के
यहाँ तक आता हूँ

आकाश के 'नोटिस बोर्ड' पे क्यों,
हर रोज़ वही टंग जाती है
'ज़ेरौक्स' करा के रखी है क्या रात उसने?

एक और दिन

दिन का कीकर काट काट के कुल्हाड़ी से
रात का ईधन जमा किया है!
सीली लकड़ी, कड़वे धुंए से
चूल्हे की कुछ सांस चली है!
पेट पे रखी, चाँद की चक्की,
सारी रात मैं पीसूंगा
सारी रात उड़ेगा फिर आकाश का चूरा!
सुबह फिर जंगल में जाकर
सूरज काट के लाना होगा!!

कहां से ढूँढूँ मैं हाथ अपने,
कि मेरे हाथों पे और लोगों ने हाथ
अपने चढ़ा दिये हैं,
कि मेरे आमाल भी किसी और का अमल हैं!
मैं जो भी करता हूँ और लोगों की उँगलियाँ आ के
जुड़ने लगती है–उँगलियों से,
जबीं से अपना पसीना पोछूँ, तो ग़ैर की नाक छू
के जाता है हाथ मेरा,

अजीब है ये निज़ाम जिसमें,
निज़ाम ने काट कर मेरे हाथ,
क़ायदों और फ़ाइलों में छुपा दिये हैं!

कहाँ से ढूँढूँ मैं हाथ अपने,
कि मेरे हाथों पे और लोगों ने हाथ
अपने चढ़ा दिये हैं!!

मेरे हाथ

बारिश आती है तो पानी को भी लग जाते हैं पाँव,
दरोदीवार से टकरा के गुज़रता है गली से,
और उछलता है छपाकों में,
किसी मैच में जीते हुये लड़कों की तरह!

जीत कर आते हैं जब मैच गली के लड़के,
जूते पहने हुये कैनवस के,
उछलते हुये गेंदों की तरह,
दरोदीवार से टकरा के गुज़रते हैं
वो पानी के छपाकों की तरह!

मॉनसून

इस फ़ुटपाथ पे रहना अब मुश्किल है दोस्त,
सोचता हूँ फ़ुटपाथ बदल लूँ
पहले सा अब शर्म, लिहाज़ नहीं लोगों में,
ना पहले सी दुनियादारी!

वो भी दिन थे--आस-पड़ोस में पूछ लिया करते थे
गर कोई भूखा ही सो जाए तो
अब तो जेबें कट जाती हैं सोते में,--
और तो और कि सिर के नीचे रखे, रात को
                जूते भी चोरी हो जाते हैं!

मैं जब आया था इस शहर में,
आठ आने लेता था इस पाड़े का दादा--
और दुअन्नी हफ़्ते की, वह वर्दीवाला
इतनी भीड़ नहीं होती थी--
भिखमंगे भी कम होते थे
धंधे वाले लोग थे सारे!

कोई हमाल था गोदी में, पनवाड़ी कोई,
कुछ ईरानी होटल के लौंडे थे, आ कर सो जाते थे--

122

फोकट के नारे लगवाने वाले नेता लोग नहीं थे
पहले के जो नेता थे नां--'बाटा' के जूतों जैसे थे,
सालों साल चला करते थे,
'पावर' वाले लोग थे सारे,
चुटकी में दुश्मन का काँटा खींच दिया
करते थे, साला--
अब तो आया और गया!
सब कच्चरपट्टी--!!

मेरे दिनों में--
औरत ज़ात 'मुलुक' में रख कर आते थे
मज़दूरी करने,
कोई बेटी, बुढ़िया, साथ में आ जाती तो--
सब इज्जत से देखते थे--
कोई साला लफ़ड़ा ना था!
क्या कुछ होता है अब, छी छी--
अब फ़ुटपाथ पे रहने में भी 'रिस्क' बहुत है,
जब से हिन्दू मुस्लिम दंगे करवाने की रीत
चली है सियासत में,

पाड़ों के दादा भी आ कर धर्म पता कर जाते हैं!
किस साले को धर्म पता है?
याद कहाँ है?
कितने साल हुये अपने को------?
जब से टाँग कटी थी एक्सीडेन्ट में साली,
ट्रक वाला इक पी के जब फ़ुटपाथ के ऊपर
चढ़ आया था,
मिल की नौकरी छूट गयी थी!
तब से ये बैसाखी ले कर,
झाड़न बेच कें टैक्सी धो कर
दिन कटते हैं!!

छोड़ गया फ़ुटपाथ ये आख़िर झुमरु लंगड़ा,
चौपाटी के पुल से कूद के उसने अपनी
जान दे दी है!

फ़ुटपाथ

लाख दिनों के बाद मैं जब भी तुमसे

मिल कर आता हूँ

पीछे पीछे आती तेरी दो आँखों की चाप

सुनाई देती है।

कई दिनों तक यूँ लगता है,

मैं चाहे जिस राह से गुज़रूँ,

देख रही होगी तू मुझको!!

तआकुब

कितना अर्सा हुआ कोई उम्मीद जलाये,
कितनी मुद्दत हुयी किसी क़िंदील पे जलती
रौशनी रखे!

चलते फिरते इस सुनसान हवेली में,
तन्हाई से ठोकर खा के,
कितनी बार गिरा हूँ मैं।

चाँद अगर निकले तो अब इस घर में
रौशनी होती है,
वर्ना अँधेरा रहता है!

चाँदघर

ज़रा आवाज़ का लहजा तो बदलो------
ज़रा मद्धिम करो इस आँच को सोना
कि जल जाते हैं कँगुरे नर्म रिश्तों के!
ज़रा अलफ़ाज़ के नाख़ुन तराशो,
बहुत चुभते हैं जब नाराज़गी से बात करती हो!!

सोना

पोस्ट बॉक्स आज भी ख़ाली ही रहा--
आखिरी ख़त को भी आये हुए कुछ साल हुये हैं--
डाकिया हँसता है
''अब कौन लिखेगा तुझे चिट्ठी बाबा?
मौत आयेगी तो मौला ही का ख़त लायेगी अब तो--''

वह तू ख़ुद हाथ से लिखना मेरे मौला!
हिचकी आती है तो लगता है कि दस्तक आयी--
ख़त नहीं आता कोई--
हर महीने------
फ़क़त इक बिजली का बिल,
पानी का नोटिस,
जो बहरहाल चला आता है--

पोस्ट बॉक्स

128

बुढ़िया, तेरे साथ तो मैने, जीने की हर शै बाँटी है!
दाना पानी, कपड़ा लत्ता, नींदें और जगराते सारे,
औलादों के जनने से बसने तक, और बिछड़ने तक!
उम्र का हर हिस्सा बाँटा है।----
तेरे साथ जुदाई बाँटी, रूठ, सुलह, तन्हाई भी,
सारी कारस्तानियाँ बाँटीं, झूठ भी और सच्चाई भी,
मेरे दर्द सहे हैं तूने,
तेरी सारी पीड़ें मेरे पोरों में से गुज़री हैं,
साथ जिये हैं----
साथ मरें ये कैसे मुमकिन हो सकता है?
दोनों में से एक को इक दिन,
दूजे को शम्शान पे छोड़ के,
तन्हा वापस लौटना होगा!!

बुढ़िया रे

स्विमिंग पूल

गर्मी से कल रात अचानक आँख खुली तो
जी चाहा कि स्वीमिंग पूल के
ठंडे पानी में इक डुबकी मार के आऊँ,
बाहर आ कर स्वीमिंग पूल पे देखा तो हैरान हुआ,
जाने कब से
बिन पूछे इक चाँद आया और मेरे पूल में,
आँखें बंद किये लेटा था, तैर रहा था!
उफ़! कल रात बहुत गर्मी थी!!

हनीमून

कल तुझे सैर करायेंगे समन्दर से लगी गोल
सड़क की,
रात को हार सा लगता है समन्दर के गले में!

घोड़ा गाड़ी पे बहुत दूर तलक सैर करेंगे
घोड़े की टापों से लगता है कि कुछ देर के
राजा हैं हम!
'गेटवे आफ़ इंडिया' पे देखेंगे हम 'ताज महल होटल'
जोड़े आते हैं विलायत से हनीमून मनाने, तो
ठहरते है वहीं पर!

आज की रात तो फ़ुटपाथ पे ईटें रख कर,
गर्म कर लेते हैं बिरयानी जो ईरानी के होटल
से मिली है
और इस रात मना लेंगे हनीमून यहीं ज़ीने के नीचे!!

उस रात बहुत सन्नाटा था,
उस रात बहुत ख़ामोशी थी,
साया था ना कोई सर्गोशी, आहट थी, ना
जुम्बिश थी कोई!
हाँ देर तलक उस रात मगर,
बस एक मकाँ की दूसरी मंज़िल पर इक रौशन
खिड़की और--
इक चाँद फ़लक पर, इक दूजे को टकटकी
बाँधे तकते रहे!

उस रात

132

बुज़ुर्गों के कमरे से होता हुआ,
सीढ़ियों से गुज़र के,
दबे पांव छत पे चला आया था मैं--
मैं आया था तुमको जगाने, चलो भाग जायें,
अँधेरा है और सारा घर सो रहा है
अभी वक़्त है,--सुबह की पहली गाड़ी का वक़्त
हो रहा है--
अभी पिछले स्टेशन से छूटी नहीं है
वहाँ से जो छूटेगी तो गार्ड इक लम्बी सी
'कूक' देगा,
इसी मुँह अँधेरे में गाँव के 'टी.टी.' से बचते बचाते
दोशालों की बुकल में चेहरे छुपाये,
निकल जायेंगे हम!
मगर तुम बड़ी मीठी सी नींद में सो रही थीं--
दबी सी हँसी थी लबों के किनारे पे महकी हुई,
गले पे इक उधड़ा हुआ तागा कुर्ती से निकला हुआ
साँस छू छू के बस कपकपाये चला जा रहा था
तर्बे साँसों की बजती हुयी हल्की हल्की
हवा जैसे सँतूर के तार पर मीढ़ लेती हुयी

बहुत देर तक मैं वह सुनता रहा
बहुत देर तक अपने होटों को आँखों पे रख के--
तुम्हारे किसी ख़्वाब को प्यार करता रहा मैं,
नहीं जागीं तुम--और मेरी जगाने की हिम्मत
नहीं हो सकी।

लौट आया।

सीढ़ियों से उतर के,
बुज़ुर्गों के कमरे से होता हुआ।
मुझे क्या पता था कि मामूँ के घर से उसी रोज़
वह तुमको ले जायेंगे!!
तुम्हें छोड़ कर ज़िन्दगी इक अलग मोड़
मुड़ जायेगी।।

छुट्टियाँ गर्मियों की

बाबा बिगलौस को इन चीख़ों की 'व्हिसलें'
नहीं सोने देतीं

जेलें ख़ामोश हैं और शहर में हंगामे हैं--
गर्म लोहे के तवे जैसी ये सड़कें जिन पर,
लोग दानों की तरह गिरते ही भुन जाते हैं--
आँखों, कानों से मकानों के, धुंआं उठता है--।
जूतों की नोकों पे हर रोज़ लुढ़कते हैं
सिरों के कासे,
फ़िर्क़े लड़ते हैं सियासत में तो हर 'गोल' पे
इक शोर सा मच जाता है--
कोड़े लहराते हैं जब 'कैबरे डांसर'. की तरह
खाल 'वेफ़र' की तरह उड़ती नज़र आती है--
टाँके खुल जायें किसी मुँह के तो सी देती हैं संगीनें!

बाबा बिगलौस का कहना है, शरीफ़ों के लिए
रहने को अब शहर नहीं है--
इस से बेहतर है कि जेलों में बुला लें उनको,--
जितने मुजरिम हैं उन्हें जेल से बाहर कर दें।।

बाबा बिगलौस–1

बाबा बिगलौस का तावीज़ है ये,
बाबा बिगलोस की रहमत से मिला है,
इसको पहनोगे तो हर ख़तरे से महफ़ुज़ रहोगे
शर्त ये है कि सदा जिस्म को ये छूता रहे--
पाँव के नीचे दबे, दफ़्न ख़ज़ानों की
ख़बर देगा तुम्हें--

रात को तकिये के नीचे रख लो--
सिर्फ़ चालीस दिनों में ये बदल देता है क़िस्मत--
दिल की पोशीदा तमन्नाओं की तकमील
करा देता है!!"

शहर के मुफ़लिसो माज़ूर ग़रीबों के मुक़द्दर को
बदलने के लिये,
एक फ़ुटपाथ पे वह बैठा हुआ बेच रहा था--
आठ आठ आने में कुछ मौजज़े जीने के लिये!!

बाबा
बिगलौस—2

खिड़की पिछवाड़े की खुलती तो नज़र आता था
वह अमलतास का इक पेड़, ज़रा दूर
अकेला सा खड़ा था।
शाखें पंखों की तरह खोले हुए,
इक परिन्दे की तरह।

वरग़लाते थे उसे रोज़ परिन्दे आ कर
जब सुनाते थे वो परवाज़ के क़िस्से उसको,
और दिखाते थे उसे उड़ के,
क़लाबाज़ियाँ खा के।
बदलियाँ छू के बताते थे, मज़े ठंडी हवा के!

आँधी का हाथ पकड़ कर शायद,
उसने कल उड़ने की कोशिश की थी
औंधे मुँह बीच सड़क जा के गिरा है!!

अमलतास

लाल सुनहरी झिलमिल करती आग को मैंने,
जल्दी-जल्दी दूर पहाड़ी की चोटी पर चढ़ते देखा था

जैसे केसरी रंग दोशाला ओढ़े बन्नो
परली वादी से माही की बोली सुनकर,
नंगे पाँव दौड़ो थी--
फिर उस आग को ऊँचे-ऊँचे चीढ़ के पेड़ों पर--
चढ़ते भी देखा था,
तेज़ हवा में देर तलक लहरा लहरा कर,
बर्फ़ से फूटे एक नये चश्मे को पास बुलाती रही,
''आ जा, मेरे लब लग जा, मैं प्यासी हूँ--''
बन्नो का परदेसी माही लौट आया था,
गोटे वाली लाल सुनहरी आग के पास
ना आया कोई,--
पेड़ों से जब उतरी तो बुझते चेहरे पर
राख मली थी!!!

पहाड़ की आग

इक इमारत है
है सराये शायद,
जो मेरे सर में बसी है।
सीढ़ियाँ चढ़ते उतरते हुये जूतों की धमक
                        बजती है सर में
कोनों खुदरों में खड़े लोगों की सरगोशियाँ
                        सुनता हूँ कभी।
साज़िशें पहने हुये काले लिबादे सर तक,
उड़ती हैं, भूतिया महलों में उड़ा करती हैं
                        चमगादड़ें जैसे।

इक महल है शायद!
साज़ के तार चटख़ते हैं नसों में
कोई खोल के आँखें,
पत्तियाँ पलकों की झपका के बुलाता है किसी को!
चूल्हे जलते हैं तो महकी हुई ''गँदम'' के धुएँ में,

खिड़कियाँ खोल के कुछ चेहरे मुझे देखते हैं!
और सुनते हैं जो मैं सोचता हूँ!

एक, मिट्टी का घर है
इक. गली है, जो फ़क़त घूमती ही रहती है
शहर है कोई, मेरे सर में बसा है शायद!!

इक इमारत

वह लाश जो चौक में पड़ी है
ना सर पे टोपी, ना जूता पैरों में, जेबें ख़ाली,
ना नाम है, ना पता ठिकाना,
बस इक लिफ़ाफ़ा मिला है जिसमें लिखा हुआ है:

"मैं इस जहाँ से गुज़र रहा था,
बड़ा कठिन था, मगर यहाँ एक रात रुकना,
सवालों से घुट गयी थीं साँसे,
मैं जा रहा हूँ—!"

तलाश जारी है सर से पाँव तलक कि आख़िर
मरा तो किस चीज़ से मरा है?
निशान गोली का? जख़्म कोई?
किसी ने मारा?
या दिल का दौरा पड़ा अचानक?
या ज़हर खा के वह ज़िन्दगी के ख़िलाफ़
कोई गिला था जो दर्ज कर गया है!
तलाश जारी है, गर मरासिम ख़ुदा से थे भी
तो गुफ़्तगू—किस ज़बान में थी
वह कौन है जिसकी मार्फ़त वह अदम गया है?

ना चोटी सर पे, ना सजदे का माहताब माथे पे
कड़ा नहीं है कलाई में, और ना है गले में
सलीब कोई!
जलायें उस को, या दफ़्न कर दें?

अदम को जाना भी इतना आसाँ नहीं है हमदम,
जो देख सकते,
कि ख़त गया, पर लिफ़ाफ़े की छानबीन जारी है,
और तफ़तीश हो रही है!!

एक लाश

142

हवायें जालियों से जब गुज़रती हैं
तो कट जाती हैं जाली से--
हवाओं के बदन से टूट कर गिरती है जब परवाज़,
तो इक चीख़ की आवाज़ें होती है--

फ़तहपुर सीकरी की जालियों से आज भी अक्सर
कटी परवाज़ की आवाज़ें आती हैं!
मुक़य्यद बादशाहों के सिसकने की सदायें
                         गूँजा करती हैं--
कभी दारा, कभी शाहजहाँ की सिसकियाँ
                         कानों में पड़ती हैं।

फ़तहपुर
सीकरी

143

बरामदों के बाद फिर बरामदे,
बरामदे, कचहरियों के गिर्द घूमते हुये बरामदे

तवाफ़ करते, काले काले चोंग़ों में,
जज़ा-ओ जुर्म के ये सारे पादरी
लिये हुये हैं फ़ाइलों में नक़्शे जेलख़ानों के,
छुपे हुये हैं कोड़े और फंदे फाँसियों के आसतीनों में
उतर रहे हैं चढ़ रहे हैं
सर्कसों के तम्बुओं में, जिस तरह से
झूलते हैं बाज़ीगर
घड़ौचियों पे लोग बैठे बैठे ऊँघते हुये,
सर पड़े है कुर्सियों पे मर्तबानों की तरह
नींद से भरे हुए
किताबें ताक़ पर लगी जुगाली कर रही हैं दाँतों
में फँसी दलीलों की

ये घेरा डाले, खोह खोह खेलते बरामदे,
बरामदे, कचहरियों के गिर्द घूमते हुये बरामदे!!

कचहरियां

क़ब्रिस्तान है, क़ब्रिस्तान से गुज़रो तो आहिस्ता बोलो।

क़ब्रिस्तान में इतना ऊँचा बोलने का
दस्तूर नहीं है--
क़ब्रिस्तान से गुज़रो तो पैरों की आहट
मद्धम कर लो--
चलती फिरती आवाज़ों से मुर्दों को
ज़हमत होती है--
साकित मुर्दे, साकित रहना चाहते हैं
करवट लेना मुर्दों के अतवार नहीं हैं।

क़ब्रिस्तान है,
क़ब्रिस्तान में ठहरो तो क़ब्रों के कतबों पर न
अपनी कोहनी रख के टेक लगाना--
नाम लिखे हैं, और तारीख़ें,
बोझ पड़े तो गिर पड़ते हैं--
क़ब्रिस्तान है, क़ब्रिस्तान से आहिस्ता
आहिस्ता गुज़रो--
कोई क़ब्र हिले ना जागे,
लोग अपने अपने जिस्मों की क़ब्रों में बस मिट्टी
ओढ़े दफ़्न पड़े हैं!

क़ब्रिस्तान

उधेड़ के ज़मीन पर,
लिटा दिये गये हवेली के तमाम बालोपर!

छतों से कलगियाँ चमकती शमाओं की उतार के,
मयानें, तेग़ें, ढालें, सब----
दरों के खिड़कियों के क़ब्ज़े खोल कर,
नमूने आँजहानी दस्तकारों के!
चला गया ट्रकों में भर के दौर एक वक़्त का!

कबाड़ी ले गये लपेट कर मकान तो मगर,
मकाँ के पीछे पाईं-बाग़ में लगा,
गुरुबे-आफ़ताब का सुनहरी पेड़ छोड़ कर चले गये!

हवेली

मेरे कपड़ों में टंगा है तेरा ख़ुशरंग लिबास
घर पे धोता हूँ मैं हर बार उसे,

       और सूखा के फिर से,

अपने हाथों से उसे इस्त्री करता हूँ मगर,
इस्त्री करने से जाती नहीं शिकनें उसकी,
और धोने से गिले शिकवों के चकते नहीं मिटते!

ज़िन्दगी किस क़दर आसां होती
रिश्ते गर होते लिबास--
और बदल लेते क़मीज़ों की तरह!

लिबास

147

जिस बस्ती में आग लगी थी कल की रात
उस बस्ती में मेरा कोई नहीं रहता था!

औरतें, बच्चे, मर्द कई, और उम्र रसीदा लोग सभी
जिनके सर पे शोले और शहतीर गिरे,
उनमें मेरा कोई नहीं था--

स्कूल जो कच्चा पक्का था, और बनते बनते
                                    ख़ाक हुआ,
जिस के मलबे में वो सब कुछ दफ़्न हुआ,
जो उस बस्ती का मुस्तक़बिल कहलाता था--

उस स्कूल में--
मेरे घर से कोई कभी पढ़ने ना गया
और ना अब जाता था,
मेरी कोई दुकान नहीं थी
मेरा कोई सामान नहीं था
दूर ही दूर से देख रहा था,
कैसे कुछ ख़ुफ़िया हाथों ने जा कर
                        आग लगायी थी--

जब से देखा है, ये ख़ौफ़ बसा है दिल में,
मेरी बस्ती भी वैसी ही एक तरक़्क़ी करती,
बढ़ती बस्ती है,
और तरक़्क़ी याफ़्ता कुछ लोगों को ऐसी
कोई बात पसंद नहीं!!

थर्ड वर्ल्ड

दर्द

दर्द कुछ देर ही रहता है, बहुत देर नहीं--!
जिस तरह शाख़ से तोड़े हुये इक पत्ते का रंग
माँद पड़ जाता है कुछ रोज़ अलग शाख़ से रह कर,
शाख़ से टूट के ये दर्द जीयेगा कब तक?

ख़त्म हो जायेगी जब इसकी रसद,
टिमटिमायेगा ज़रा देर को बुझते बुझते,
और फिर लम्बी सी इक साँस धुयें की ले कर,
ख़त्म हो जायेगा, ये दर्द भी बुझ जायेगा--!
दर्द कुछ देर ही रहता है, बहुत देर नहीं!!

शहद का छत्ता*

रात भर ऐसे लड़ी जैसे कि दुश्मन हो मेरी!
आग की लपटों से झुलसाया, कभी तीरों से छेदा,
जिस्म पर दिखती हैं नाख़ुनों की मिर्चीली खरोंचें
और सीने पे मेरे दाग़ी हुयी दाँतों की मोहरें,
रात भर ऐसे लड़ी जैसे कि दुश्मन हो मेरी!

भिनभनाहट भी नहीं सुबह से घर में उसकी,
मेरे बच्चों में घिरी बैठी है,
ममता से भरा शहद का छत्ता लेकर!!

* यह नज़्म, संस्कृत के एक दोहे से मुताअस्सिर होकर लिखी गई

ऐसा कुछ भी तो नहीं था, जो हुआ करता है
फ़िल्मों में हमेशा!
ना तो बारिश थी, ना तूफ़ानी हवा, और ना
जंगल का समाँ,
ना कोई चाँद फ़लक पर कि जुनूँ-ख़ेज़ करे।

ना किसी चश्मे, ना दरिया की उबलती हुयी
फ़ानूसी सदायें
कोई मौसीक़ी नहीं थी पसेमंज़र में कि जज़्बात में
हैजान मचा दे!
ना वह भीगी हुयी बारिश में, कोई हूरनुमा
लड़की थी

सिर्फ़ औरत थी, वह कमज़ोर थी वह
चार मर्दो ने, कि वो मर्द थे बस,
पसेदीवार उसे 'रेप' किया!!

रेप

सर्द मौसम में ये बर्फ़ीली बलाख़ेज़ हवायें,
घर की दीवारों मे सुराख़ बहुत हैं।
और हवा घुसती है सुराखों से यूं सीटी बजाती,
जिस तरह 'रेड' में आते हैं हवलदार तलाशी लेने,
तेज़ संगीनें, चुभोते हुये, धमकाते हुये!!

'रेड'

विमबल्डन

टेनिस मैच में देखने वालों की गर्दन जब दाएं
बाएं चलती है
दाएं तरफ़ मैं तुम को देखा करता था!

बारिश में जब विम्बल्डन रुक जाता था
इक भीगी छतरी के नीचे
रेन कोट में गर्मा गरम काफ़ी की सांसें
उठ उठ कर चश्मा धुंधला कर जाती थीं
भाप के फ़िल्टर में तुम 'वाटर पेनटिंग'
जैसी लगती थीं!
रोज़ उसी 'कॉफी काउन्टर' से चिप्स
एन्ड बर्गर' लेकर
सेन्टर कार्ट तक आना
रोज़ उसी दहलीज़ पे आकर
पैर उलारते रहते थे दहलीज़ पे लेकिन
दोनों जानते थे दहलीज़ को पार नहीं कर सकते हम!
मुझ को लौट आना था हिन्दुस्तान में, और तुम
को अमरीका जाना था
दोनों तरफ़—दो घर थे और दो सूरज थे!!

1

फूलों की तरह लब खोल कभी
ख़ुश्बू की ज़बाँ में बोल कभी

अलफ़ाज़ परखता रहता है--
आवाज़ हमारी तोल कभी

अनमोल नहीं, लेकिन फिर भी
पूछो तो मुफ़्त का मोल कभी

खिड़की में कटी है सब रातें
कुछ चौरस थीं, कुछ गोल कभी

यह दिल भी दोस्त, ज़मीं की तरह
हो जाता है डाँवा डोल कभी

2

हवास का जहान साथ ले गया
वह सारे बादबान साथ ले गया

बताएं क्या, वो आफ़ताब था कोई
गया तो आसमान साथ ले गया

किताब बन्द की और उठ के चल दिया
तमाम दास्तान साथ ले गया

वो बेपनाह प्यार करता था मुझे
गया तो मेरी जान साथ ले गया

मैं सजदे से उठा तो कोई भी न था
वो पांव के निशान साथ ले गया

सिरे उधड़ गये है, सुबह-ओ-शाम के
वो मेरे दो जहान साथ ले गया

3

गुलों को सुनना ज़रा तुम सदायें भेजी हैं
गुलों के हाथ बहुत सी दुआयें भेजी हैं

जो आफ़ताब कभी भी गुरूब होता नहीं
वो दिल है मेरा उसी की शु'आयें भेजी हैं

तुम्हारी ख़ुश्क सी आँखें भली नहीं लगतीं
वह सारी यादें जो तुमको रूलायें भेजी हैं

स्याह रंग, चमकती हुई किनारी है
पहन लो अच्छी लगेंगी घटायें भेजी हैं

तुम्हारे ख़्वाब से हर शब लिपट के सोते हैं
सज़ायें भेज दो हम ने ख़तायें भेजी हैं

अकेला पत्ता हवा में बहुत बुलन्द उड़ा
ज़मी से पांव उठाओ, हवायें भेजी हैं

4

आँखों में जल रहा है पे बुझता नहीं धुआँ
उठता तो है घटा सा, बरसता नहीं धुआँ

पलकों के ढापने से भी रूकता नहीं धुआँ
कितनी उंडेलीं आँखें पे बुझता नहीं धुआँ

आँखों से आँसुओं के मरासिम पुराने हैं
महमां ये घर में आयें तो चुभता नहीं धुआँ

चूल्हे नहीं जलाये कि बस्ती ही जल गई
कुछ रोज़ हो गये हैं अब उठता नहीं धुआँ

काली लकीरें खींच रहा है फ़िज़ाओं में
बौरा गया है कुछ भी तो खुलता नहीं धुआँ

आँखों के पोंछने से लगा आग का पता
यूं चेहरा फेर लेने से छुपता नहीं धुआँ

चिंगारी इक अटक सी गई मेरे सीने में
थोड़ा सा आ के फूंक दो, उड़ता नहीं धुआँ

158

5

कुछ रोज़ से वो संजीदा है
हम से कुछ कुछ रंजीदा है

चल दिल की राह से हो के चलें
दिलचस्प है और पेचीदा है

हमउम्र ख़ुदा होता कोई
जो है, वो उम्र रसीदा है

बेदार नहीं है कोइ भी
जो जागता है ख़्वाबीदा है

हम किस से अपनी बात करें
हर शख़्स तेरा गरवीदा है

6

कहीं तो गर्द उड़े या कहीं ग़ुबार दिखे
कहीं से आता हुआ कोई शहसवार दिखे

रवां हैं फिर भी रुके हैं वहीं पे सदियों से
बड़े उदास लगे जब भी आबशार दिखे

कभी तो चौंक के देखे कोई हमारी तरफ़
किसी की आँख में हम को भी इंतज़ार दिखे

ख़फ़ा थी शाख़ से शायद, कि जब हवा गुज़री
ज़मीं पे गिरते हुये फूल बेशुमार दिखे

कोई तिलिस्मी सिफ़त थी जो इस हुजूम में वो
हुये जो आँख से ओझल तो बार बार दिखे

7

क्यों ग़रीबों से खेलती है रात
रोज़ इक चाँद बेलती है रात

हर तरफ़ धूल धूल उड़ती है
आस्माँ जब लपेटती है रात

शम'एं सारी बुझा के जाती है
घर का मामूल जानती है रात

रंग उड़ने लगा है चेहरे से
कितनी कमज़ोर हो गयी है रात

तेरी आवाज़ घोलती है कुछ
ऐसी मद्धम सी बोलती है रात

किस में रखी है सुबह की धड़कन
गुन्चा गुन्चा टटोलती है रात

दफ़्न है चाँद किस जगह उसका
बन्द क़ब्रें फरोलती है रात

8

तिनका तिनका कांटे तोड़े, सारी रात कटाई की
क्यों इतनी लम्बी होती है, चाँदनी रात जुदाई की

नींद में कोई अपने आप से बातें करता रहता है
काल कुंए में गूंजती है आवाज़ किसी सौदाई की

सीने में दिल की आहट, जैसे कोई जासूस चले
हर साये का पीछा करना आदत है हरजाई की

आँखों और कानों में कुछ सन्नाटे से भर जाते हैं
क्या तुम ने उड़ती देखी है, रेत कभी तन्हाई की

तारों की रौशन फसलें और चाँद की एक दरांती थी
साहू ने गिरवी रख ली थी, मेरी रात कटाई की

9

गर्म लाशें गिरीं फ़सीलों से
आसमां भर गया है चीलों से

सूली चढ़ने लगी है ख़ामोशी
लोग आये हैं सुन के मीलों से

कान मे ऐसे उतरी सरगोशी
बर्फ़ फिसली हो जैसे टीलों से

गूंज कर ऐसे लौटती है सदा
कोई पूछे हज़ारों मीलों से

प्यास भरती रही मेरे अन्दर
आँख हटती नहीं थी झीलों से

लोग कन्धे बदल बदल के चले।
धाट पहुँचे बड़े वसीलों से

10

एक परवाज़ दिखाई दी है
तेरी आवाज़ सुनाई दी है

सिर्फ़ इक सफ़हा पलट कर उसने
सारी बातों की सफ़ाई दी है

फिर वहीं लौट के जाना होगा
यार ने कैसी रिहाई दी है

जिस की आँखों में कटी थीं सदियां
उस ने सदियों की जुदाई दी है

ज़िन्दगी पर भी कोई ज़ोर नहीं
दिल ने हर चीज़ पराई दी है

आग में रात जला है क्या क्या
कितनी ख़ुशरंग दिखाई दी है

11

काँच के पीछे चाँद भी था और काँच के ऊपर काई भी
तीनों थे हम, वो भी थे, और मैं भी था, तनहाई भी

यादों की बौछारों से जब पलके भीगने लगती हैं
सोंधी सोंधी लगती है तब माज़ी की रुसवाई भी

दो दो शक्लें दिखती हैं इस बहके से आईने में
मेरे साथ चला आया है, आप का इक सौदाई भी

कितनी जल्दी मैली करता है पोशाकें रोज़ फ़लक
सुबह को रात उतारी थी और शाम को शब पहनाई भी

ख़ामोशी का हासिल भी इक लम्बी सी ख़ामोशी थी
उन की बात सुनी भी हम ने, अपनी बात सुनाई भी

कल साहिल पर लेटे लेटे, कितनी सारी बातें कीं
आप का हुन्कारा नहीं आया चाँद ने बात कराई भी

त्रिवेणी

1

माँ ने जिस चाँद सी दुल्हन की दुआ दी थी मुझे
आज की रात वह फ़ुटपाथ से देखा मैंने

रात भर रोटी नज़र आया है वो चाँद मुझे!

2

सारा दिन बैठा, मैं हाथ में लेकर ख़ाली कासा
रात जो गुज़री, चाँद की कौड़ी डाल गई उसमें

सूदख़ोर सूरज कल मुझसे ये भी ले जाएगा

3

आओ सारे पहन लें आईने
सारे देखेंगे अपना ही चेहरा

सबको सारे हसीं लगेंगे यहां!

4

हाथ मिला कर देखा, और कुछ सोच के मेरा नाम लिया
जैसे ये सरवरक़ किसी नॉवल पर पहले देखा है

रिश्ते कुछ बस बंद किताबों में ही अच्छे लगते हैं

5

सामने आये मेरे, देखा मुझे, बात भी की
मुस्कुराए भी, पुरानी किसी पहचान की ख़ातिर

कल का अख़बार था, बस देख लिया, रख भी दिया

6

शोला सा गुज़रता है मेरे जिस्म से होकर
किस लौ से उतारा है ख़ुदावंद ने तुम को!

तिनकों का मेरा घर है, कभी आओ तो क्या हो?

168

7

कोई चादर की तरह खींचे चला जाता है दरिया
कौन सोया है तले इसके जिसे ढूँढ़ रहे हैं!

डूबने वाले को भी चैन से सोने नहीं देते!

8

सितारे चाँद की कश्ती में रात लाती है
सहर के आने से पहले ही बिक भी जाते हैं

बहुत ही अच्छा है व्यापार इन दिनों शब का!

9

बस एक पानी की आवाज़ लपलपाती है
कि घाट छोड़ के माँझी तमाम जा भी चुके

चलो ना चाँद की कश्ती में झील पार करें

10

ज़मीं भी उसकी, ज़मीं की ये नेमतें उसकी
ये सब उसी का है, घर भी, ये घर के बंदे भी

ख़ुदा से कहिये, कभी वो भी अपने घर आये!

11

इक निवाले सी निगल जाती है ये नींद मुझे
रेशमी मोज़े निगल जाते हैं पाँव जैसे

सुबह लगता है कि ताबूत से निकला हूँ अभी।

12

उम्र के खेल में इक तरफ़ा है ये रस्सा कशी
इक सिर मुझ को दिया होता तो इक बात भी थी।

मुझ से तगड़ा भी है और सामने आता भी नहीं

13

ख़फ़ा रहे वह हमेशा तो कुछ नहीं होता
कभी कभी जो मिले आँखें फूट पड़ती हैं

बताएं किस को बहारों में दर्द होता है।

14

लोग मेलों में भी गुम हो कर मिले हैं बारहा
दास्तानों के किसी दिलचस्प से इक मोड़ पर

यूँ हमेशा के लिये भी क्या बिछड़ता है कोई?

15

आप की ख़ातिर अगर हम लूट भी लें आसमाँ
क्या मिलेगा चंद चमकीले से शीशे तोड़ कें!

चाँद चुभ जायेगा उंगली में तो ख़ून आ जायेगा

16

पौ फूटी है और किरणों से काँच बजे हैं
घर जाने का वक़्त हुआ है, पाँच बजे हैं

सारी शब घड़ियाल ने चौकीदारी की है!

17

इस से पहले रात मेरे घर छापा मारे
मैं तनहाई ताले में बंद कर आता हूँ

'गरबा' नाचता हूँ फिर घूमती सड़कों पर

18

रात परेशां सड़कों पर इक डोलता साया
खम्बे से टकरा के गिरा और फ़ौत हुआ

अंधेरे की नाजायज़ औलाद थी कोई-!

19

बे लगाम उड़ती हैं कुछ ख़्वाहिशें ऐसे दिल में
'मेक्सीकन' फ़िल्मों में कुछ दौड़ते घोड़े जैसे।

थान पर बाँधी नहीं जातीं सभी ख़्वाहिशें मुझ से।

20

तमाम सफ़हे किताबों के फड़फड़ाने लगे
हवा धकेल के दरवाज़ा आ गई घर में!

कभी हवा की तरह तुम भी आया जाया करो!!

21

कभी कभी बाज़ार में यूँ भी हो जाता है
क़ीमत ठीक थी, जेब में इतने दाम नहीं थे

ऐसे ही इक बार मैं तुम को हार आया था।

22

वह मेरे साथ ही था दूर तक मगर इक दिन
जो मुड़ के देखा तो वह दोस्त मेरे साथ न था

फटी हो जेब तो कुछ सिक्के खो भी जाते हैं।

23

वह जिस से साँस का रिश्ता बंधा हुआ था मेरा
दबा के दाँत तले साँस काट दी उसने

कटी पतंग का मांझा मुहल्ले भर में लुटा!

24

कुछ मेरे यार थे रहते थे मेरे साथ हमेशा
कोई आया था, उन्हें ले के गया, फिर नहीं लौटे

शेल्फ़ से निकली किताबों की जगह ख़ाली पड़ी है

25

इतनी लम्बी अंगड़ाई ली लड़की ने
शोले जैसे सूरज पर जा हाथ लगा

छाले जैसा चांद पड़ा है उंगली पर

26

बुड़ बुड़ करते लफ़्ज़ों को चिमटी से पकड़ो
फेंको और मसल दो पैर की ऐड़ी से।

अफ़वाहों को ख़ूँ पीने की आदत है।

178

27

ज़हरीले मछ्छर मारो, आवाज़ों के
सूजन हो जाती है इन के काटे से।

मछ्छरदानी तान के जीना मुश्किल है।।

28

पर्चियाँ बँट रही हैं गलियों में
अपने क़ातिल का इन्तख़ाब करो

वक़्त ये सख़्त है चुनाव का।

29

चूड़ी के टुकड़े थे, पैर में चुभते ही ख़ूँ बह निकला
नंगे पाँव खेल रहा था, लड़का अपने आँगन में

बाप ने कल फिर दारू पी के माँ की बाँह मरोड़ी थी

30

कुछ ऐसी एहतियात से निकला है चाँद फिर
जैसे अंधेरी रात में खिड़की पे आओ तुम।

क्या चाँद और ज़मीं में भी कोई खिचाव है?

31

चाँद के माथे पर बचपन की चोट के दाग़ नज़र आते हैं
रोड़े, पत्थर और ग़ुल्लों से दिन भर खेला करता था

बहुत कहा आवारा उल्काओं की संगत ठीक नहीं -!

32

ज़मीन घूमती है गिर्द आफ़ताब के
ज़मीं के गिर्द घूमता है चाँद, रात दिन

हैं तीन हम, हमारी फ़ैमीली है तीन की।

33

कुछ आफ़ताब और उड़े काएनात में
मैं आसमान की जटायें खोल रहा था

वह तौलिये से गीले बाल छाँट रही थी

34

जाते जाते एक बार तो कार की बत्ती सुर्ख़ हुई
शायद तुम ने सोचा हो कि रुक जाओ, या लौट आओ

सिग्नल तोड़ के लेकिन तुम इक दूसरी जानिब घूम गये

35

इस तेज़ धूप में भी अकेला नहीं था मैं
इक साया मेरे दोनों तरफ़ दौड़ता रहा

तन्हा तेरे ख़्याल ने रहने नहीं दिया!

36

कोई सूरत भी मुझे पूरी नज़र आती नहीं
आँख के शीशे मेरे चुटख़े हुए हैं कब से

टुकड़ों टुकड़ों में सभी लोग मिले हैं मुझ को

37

तेरी सूरत जो भरी रहती है आँखों में सदा
अजनबी लोग भी पहचाने से लगते हैं मुझे

तेरे रिश्ते में तो दुनिया ही पिरो ली मैं ने!

38

एक से घर हैं सभी, एक से बाशिन्दे हैं
अजनबी शहर में कुछ अजनबी लगता ही नहीं

एक से दर्द हैं सब, एक से ही रिश्ते हैं

39

पेड़ों के कटने से नाराज़ हुए हैं शायद
दाना चुगने भी नहीं आते मकानों पे परिन्दे

कोई बुलबुल भी नहीं बैठती अब शेर पे आकर!

40

ज़रा पैलेट सम्भालो रंगोबू का
मैं कैनवस आसमाँ का खोलता हूँ

बनाओ फिर से सूरत आदमी की।

41

अजीब कपड़ा दिया है मुझे सिलाने को
कि तूल खींचूँ अगर, अरज़ छूट जाता है

उघड़ने, सीने ही में उम्र कट गई सारी

42

मैं सब सामान लेकर आ गया इस पार सरहद के
मेरी गर्दन किसी ने क़त्ल करके उस तरफ़ रख ली

उसे मुझ से बिछड़ जाना गवारा ना हुआ शायद।

43

हवायें ज़ख़्मी हो जाती हैं काँटेदार तारों से
जबीं घिसता है दरिया जब तेरी सरहद गुज़रता है

मेरा इक यार है 'दरिया-ए-रावी' पार रहता है

44

मैं रहता इस तरफ़ हूँ यार की दीवार के लेकिन
मेरा साया अभी दीवार के उस पार गिरता है

बड़ी कच्ची सी सरहद एक अपने जिस्मोजां की है।

187

45

जिस से भी पूछा ठिकाना उसका
इक पता और बता जाता है।

या वह बेघर है, या हरजाई है

46

क्या बतलायें? कैसे याद की मौत हुई
डूब के पानी में परछाई फ़ौत हुई

ठहरे पानी भी कितने गहरे होते हैं।

47

एक इक याद उठाओ और पलकों से पोंछ के वापस रख दो
अश्क नहीं ये आँख में रखे क़ीमती क़ीमती शीशे हैं

ताक़ से गिर के क़ीमती चीज़ें टूट भी जाया करती हैं

48

जिस्म और जाँ टटोल कर देखें
ये पिटारी भी खोल कर देखें

टूटा फूटा अगर ख़ुदा निकले-!

49

ज़िन्दगी क्या है जानने के लिये
ज़िन्दा रहना बहुत ज़रूरी है

आज तक कोई भी रहा तो नहीं।

50

ऐसे बिखरे हैं रात दिन जैसे
मोतियों वाला हार टूट गया

तुम ने मुझको पिरो के रखा था।

51

है नहीं जो दिखाई देता है
आइने पर छपा हुआ चेहरा।

तरजुमा आइने का ठीक नहीं।।

52

दरिया जब अपने पानी खंगालते हैं तुग़यानी में
जितना कुछ मिलता है वो सब साहिल पर रख जाते हैं

ले जाते हैं कर्म जो लोगों ने फेंके हों दरिया में!

53

झुग्गी के अंदर इक बच्चा रोते रोते
माँ से रूठ के अपने आप ही सो भी गया है।

थोड़ी देर को 'युद्ध विराम' हुआ है शायद।।

54

ऐसे आई है तेरी याद अचानक
जैसे पगडंडी कोई पेड़ों से निकले

इक घने माज़ी के जंगल में मिली हो।।

55

जिस्म के खोल के अन्दर ढूंढ़ रहा हूँ और कोई
एक जो मैं हूँ, एक जो कोई और चमकता है

एक मयान में दो तलवारें कैसे रहती हैं

56

ये सुस्त धूप अभी नीचे भी नहीं उतरी
ये सर्दियों में बहुत देर छत पे सोती है।

लिहाफ़ उम्मीद का भी कब से तार तार हुआ।।

57

तुम्हारे होंठ बहुत ख़ुश्क ख़ुश्क रहते हैं
इन्हीं लबों पे कभी ताज़ा शे'र मिलते थे

ये तुमने होंठों पे अफ़साने रख लिये कब से?

58

इतने अर्से बाद 'हैंगर' से कोट निकाला
कितना लम्बा बाल मिला है 'कॉलर' पर

पिछले जाड़ों में पहना था, याद आता है।

59

तेरे शहर पहुंच तो जाता
रस्ते मे दरिया पड़ते हैं-!

पुल सब तूने जला दिये थे!!

60

कोने वाली सीट पे अब दो और ही कोई बैठते हैं
पिछले चन्द महीनों से अब वो भी लड़ते रहते हैं

क्लर्क हैं दोनों, लगता है अब शादी करने वाले हैं

61

कुछ इस तरह ख़्याल तेरा जल उठा कि बस
जैसे दीया-सलाई जली हो अँधेरे में

अब फूंक भी दो, वरना ये उंगली जलाएगा!

62

कांटे वाली तार पे किसने गीले कपड़े टांगे हैं
ख़ून टपकता रहता है और नाली में बह जाता है।

क्यों इस फ़ौजी की बेवा हर रोज़ ये वर्दी धोती है।।

63

हल वाहा था "होरी" ने, और ज़मीनदार के खेत हुए
ग़ल्ला बेचा बनिये ने और दाता की तारीफ़ हुई

मिट्टी की गोदी फिर ख़ाली, जिस ने खेत उगाए थे।

64

आओ ज़बानें बाँट लें अब अपनी अपनी हम
न तुम सुनोगे बात, ना हम को समझना है।

दो अनपढ़ों को कितनी मोहब्बत है अदब से

65

नाप के, वक़्त भरा जाता है, हर रेत घड़ी में-
इक तरफ़ ख़ाली हो जब फिर से उलट देते हैं उसको

उम्र जब ख़त्म हो, क्या मुझ को वो उल्टा नहीं सकता?

66

चिड़ियाँ उड़ती हैं मेरे कांच के दरवाज़े के बाहर
नाचती धूप की चिंगारियों में जान भरी है

और मैं चिन्ता का तोदह हूं जो कमरे में पड़ा है

67

एक तम्बू लगा है सर्कस का
बाज़ीगर झूलते ही रहते हैं-

ज़हन ख़ाली कभी नहीं होता।

68

चलो ना शोर में बैठें, जहां कुछ न सुनाई दे
कि इस ख़ामोशी में तो सोच भी बजती है कानों में

बहुत बतियाया करती है यह फापे कुटनी तन्हाई!

199

69

पत्थर की दीवार पे, लकड़ी की इक फ्रेम में कांच
के अन्दर फूल बने हैं
एक तसव्वुर ख़ुश्बू का और कितने सारे पहनावों
में बन्द किया है

इश्क़ पे दिल का एक लिबास ही काफ़ी था, अब
कितनी पोशाकें पहनेगा।